DROS FY MHEN
A 'NGHLUSTIAU

Er cof am Mandi

DROS FY MHEN A 'NGHLUSTIAU

Marlyn Samuel

Diolch:

I Alaw Lloyd Evans, Meinir Roberts a Rhys Derwydd
am gael pigo'u brêns a gwirio ambell ffaith.

I Iwan am ddarllen y drafft cyntaf un i wneud yn siŵr fod y
stori'n gwneud synnwyr a mynd â fi i Cap de Formentor.

I Meleri Wyn James am ei sylwadau craff
a'i hawgrymiadau doeth a gwerthfawr eto fyth.

Diolch hefyd i wasg y Lolfa am eu cefnogaeth.

Argraffiad cyntaf: 2023
© Hawlfraint Marlyn Samuel a'r Lolfa Cyf., 2023

*Mae hawlfraint ar gynnwys y llyfr hwn ac mae'n
anghyfreithlon llungopïo neu atgynhyrchu unrhyw ran ohono
trwy unrhyw ddull ac at unrhyw bwrpas (ar wahân i adolygu)
heb gytundeb ysgrifenedig y cyhoeddwyr ymlaen llaw*

Llun y clawr: Andy Robert Davies
Cynllun y clawr: Sion Ilar

Rhif Llyfr Rhyngwladol: 978 1 80099 376 1

Dymuna'r cyhoeddwyr gydnabod cymorth ariannol
Cyngor Llyfrau Cymru

Cyhoeddwyd ac argraffwyd yng Nghymru
ar bapur o goedwigoedd cynaliadwy gan
Y Lolfa Cyf., Talybont, Ceredigion SY24 5HE
e-bost ylolfa@ylolfa.com
gwefan www.ylolfa.com
ffôn 01970 832 304

'I learned to suspect that anyone and everyone is capable of "living a lie". I came to believe that other people – even when you think you know them well – are ultimately unknowable.'
Lynn Barber

'And, after all, what is a lie?
'Tis but the truth in masquerade.'
Lord Byron

WAETH I TI DDWÂD DDIM

TASA FFRIND ANTI Eirlys heb gael yr eryr mi fysa fy mywyd i wedi bod dipyn gwahanol, coeliwch chi fi.

Taswn i heb fynd ar y trip bws hwnnw fysa be ddigwyddodd ddim wedi digwydd. Tydi be ddigwyddodd ddim yn digwydd i rywun fatha fi. Dynes yn ei hoed a'i hamser o Lanbedrgoch ac yn gymhorthydd dosbarth.

Waeth i mi gyfaddef ar y dechrau fel hyn bod be ydach chi am ei ddarllen braidd yn anghredadwy ar adegau. Mae hi'n stori anhygoel. Fyswn i ddim yn ei choelio hi fy hun oni bai mai i mi ddigwyddodd o. Ond mi alla'i eich sicrhau chi, mae pob gair yn wir.

Wel, bron iawn pob un.

Dechreuodd bob dim pan ges i fy mherswadio i fynd efo Anti Eirlys, ar drip bws i Gaerdydd. Pan alwais i heibio i'w gweld hi un noson, fy fisit ddyletswyddol wythnosol, roedd Anti Eirlys yn flin fel cacwn ac ar ei hail jin yn barod. Cyn i mi gael cyfle i dynnu fy nghôt a'm sgarff roedd hi'n brygowthan, yn waeth na'r arfer felly. Newydd fod ar y ffôn efo'i ffrind, Anwen, oedd hi.

'Ma gynni hi'r eryr! Yr eryr... Goeli di'r peth, cyw? Mi fydd rhaid i ni ganslo'r trip i Gaerdydd rŵan, bydd? Sut gafodd hi beth felly, dwa?' meddai wedyn heb unrhyw arlliw o empathi ar ei chyfyl.

Tasa rhywun ddim yn gwybod yn well, mi fysa rhywun

yn meddwl bod yr hen Anwen wedi dal yr anfadwch yn gwbl fwriadol er mwyn drysu planiau ei chyfaill mynwesol.

'A finna wedi edrych ymlaen cymaint. Dwi 'di prynu côt newydd i fynd a phob dim.'

'Does 'na ddim byd yn eich stopio chi rhag mynd, nag oes? Pan na ewch chi, beth bynnag?' awgrymais innau'n glên.

'Be? Ar ben fy hun bach? Be haru ti, cyw?'

Taswn i wedi awgrymu iddi fynd ar drip i gynhadledd S&M fyddai ei hymateb ddim wedi bod yn ffyrnicach. 'A dim ffiars o beryg dwi'n talu eiti pownd ecstra am singl rŵm sypliment.'

'Dim ots, gewch chi'ch dwy fynd rhywbryd eto, cewch,' triais wedyn.

'Hy! Ti'n meddwl? Ella y bydda'i dan dorchan erbyn y trip nesa. A does 'na'm gobaith i ni gael ein pres yn ôl rŵan, ma hi rhy hwyr. Doedd o ddim yn drip rhad, sdi, cyw.'

Doeddwn i ddim yn amau hynny am eiliad. Dim ond y gorau i Anti Eirlys bob amser. Er ei bod yn gallu bod yn grintachlyd iawn efo rhai pethau hefyd. Roedd wrth ei bodd yn brolio bod ganddi *'expensive taste'*. A hawdd iawn y galla hi fforddio'r pethau gorau a'r drutaf hefyd a hithau wedi bod yn briod am flynyddoedd â pherchennog cadwyn o siopau carpedi llewyrchus.

'O'dd rhaid iddi gael y sglyfaeth peth wsnos yma, doedd? T'isio jin, 'ta gymeri di banad, cyw?'

'Panad plis.' Newydd droi pump oedd hi. Roedd hi'n amlwg fod Anti Eirlys wedi cychwyn ei choctel *hour* yn gynt na'r arfer y diwrnod hwnnw.

'Gwna un i chdi dy hun 'ta, cyw,' meddai gan dollti jin mawr arall iddi hi ei hun i'r gwydr cyt glas.

I ffwrdd â fi i'r gegin. Wrthi'n llenwi'r tegell o'n i pan drotiodd hi i mewn ar fy ôl i. 'Dwi 'di ca'l brênwêf!' Roedd gwên fawr lydan ar ei gwep leiniog. 'Mi gei di ddŵad efo fi yn lle Anwen.'

'Be?' Cael a chael oedd i mi beidio â gollwng y tegell ar y llawr mewn sioc.

'Pam ddim? Ma hi'n wylia hanner tymor arnat ti wsnos yma, tydi? Fedri di ddŵad efo fi ddydd Gwener, 'li. Sgin ti ddim byd gwell i neud, nac oes.' Mi oedd yr ergyd yna'n brifo. Yn anffodus mi oedd Anti Eirlys yn llygaid ei lle. Doedd gen i ddim unrhyw blaniau o fath yn y byd ar y penwythnos penodedig, nac ar unrhyw benwythnos arall, tasa hi'n dŵad i hynny. Ers i fi ac Emyr wahanu, roedd fy mhenwythnosau yn anialwch o ddigwyddiadau. Ers y gwahanu mawr ro'n i'n *persona non grata*.

Wyth mlynedd a deg mis wnes i wastraffu efo'r bwbach. O'n i'n meddwl yn siŵr fod 'na ddyfodol i ni'n dau. Tŷ a gardd ar gwr y coed a hynna i gyd. Ond peth meddal ydi meddwl.

Nos Wener oedd hi, dwi'n cofio'n iawn. Ro'n i wedi cael diwrnod uffernol yn yr ysgol y diwrnod hwnnw. Nid yn unig o'n i'n dioddef efo crampiau misol drwg a ddim yn fy hwyliau o gwbl, ond ganol bore mi gafodd 'na hogyn bach yn fy nosbarth i bwl ofnadwy o *diarrhoea*. Welais i erioed y ffasiwn lanast yn fy myw. Roedd o hyd yn oed 'di mynd tu mewn i sgidiau'r creadur bach. (Dwi'n ymddiheuro'n fawr os ydach chi'n bwyta wrth ddarllen y rhan yma.) Rhwng pyliau o gyfog gwag, mygins fan hyn gafodd y dasg bleserus o lanhau'r gyflafan. Gwrthododd Miss Sara Davies, B.Ed, ar ei phen ymuno yn y dasg. Roedd ganddi hi stumog wan, medda hi, ond y gwir plaen amdani oedd, roedd llnau cachu islaw gradd ei chyflog hi. Doedd hi ddim wedi bod yn y coleg am dair blynedd i gymhwyso fel athrawes i ddelio efo *diarrhoea*, diolch yn fawr iawn.

Fwy nag arfer felly, ro'n i'n edrych ymlaen yn fawr i fy rwtîn nos Wener arferol o dec awê a photel o win o flaen y bocs yng nghwmni Emyr. Ond y noson honno roedd o'n hwyr yn cyrraedd. Fel arfer byddai'n landio o gwmpas saith ar ôl pigo'r tec awê i fyny ar ei ffordd. Roedd hi'n bell wedi wyth pan gyrhaeddodd o a dim sôn am dec awê yn ei hafflau. Yn fy naïfrwydd meddyliais i mai hon oedd y noson fawr. Y noson yr oedd o'n mynd i ofyn i mi. Gofyn y cwestiwn mawr. O'n i wedi rhoi'r gorau i obeithio y byddai'n mynd lawr ar ei liniau ar achlysuron fel fy mhen blwydd, Dolig, noson Calan, neu hyd yn oed pan oedden ni i ffwrdd ar ein gwyliau. Ond heno mi oedd o'n bihafio'n od, yn wahanol. Roedd o'n dawel ac yn amlwg yn nerfus, ac yn fy ngwiriondeb, mi gymerais i mai arwydd oedd hynny ei fod, o'r diwedd, am ofyn i mi ei briodi.

'W't ti am dynnu dy gôt?' medda fi wrtho fo yn trio ciledrych yn slei bach yr un pryd i weld o'n i'n gallu gweld siâp bocs yn llechu ym mhoced ei siaced neu'i drowsus. Ond yn anffodus, doedd dim arwydd o unrhyw chwydd ar ei gyfyl.

O'r diwedd, ar ôl magu digon o blwc, dyma fo'n deud wrtha i heb unrhyw arlliw o wên ar gyfyl ei wep, ei ben i lawr yn methu edrych arna i.

'Gwranda, Nina...'

Suddodd fy nghalon fel carreg mewn pwll. Ges i'r hen deimlad annifyr hwnnw yn fy nŵr nad oedd pethau'n argoeli'n dda o gwbl. O'n i'n gwybod yn iawn pan oedd rhywun yn deud wrtha i 'Gwranda, Nina', ei fod o'n arwydd drwg. Yr arwydd gwaethaf un. Dyna be ddeudodd Yncl Dilwyn wrtha i ar ôl iddo fo ddod i fy nôl i yn hwyr, (roedd rhieni pawb arall wedi dod i'w nôl nhw ers meitin) o barti pen blwydd Branwen, un pnawn Sadwrn a finnau ond newydd ddathlu fy mhen blwydd fy hun yn saith oed. 'Lle ma Mam a Dad?' gofynnais yn ddryslyd. Pam oedd Yncl Dilwyn o bawb wedi dod i fy nôl i o'r parti? Pam oedd o wedi bod yn siarad am yn hir efo mam a thad Branwen ar ôl cyrraedd? Pam oedd mam Branwen yn crio a golwg wedi dychryn ar ei thad hi? Pam oedd Yncl Dilwyn yn mynd â fi yn syth yn ôl i'w dŷ fo ac Anti Eirlys yn lle mynd â fi adra at Mam a Dad?

Buan iawn ges i wybod pam.

'Gwranda, Nina... Dwi isio i chdi fod yn hogan fach ddewr rŵan, ti'n dallt? Ma gen i newyddion trist iawn i ddeud wrthat ti,' medda fo ar ôl i mi dynnu fy nghôt. 'Newyddion trist ofnadwy...' medda fo wedyn a'i wyneb yn wyn fel y galchen. Dwi'n cofio fo'n llyncu ei boer yn galed, a'i *adam's apple* yn mynd i fyny ac i lawr yn wyllt cyn iddo dorri fy nghalon i. 'Am dy fam a dy dad...'

Tra o'n i'n bwyta jeli ac eis crîm a chwarae pas y parsel, roedd fy mam a 'nhad wedi picied i Fangor. A hwythau ar eu ffordd yn eu holau heb unrhyw fath o boen yn y byd, daeth car i'w cyfarfod yn gyrru'n wyllt ar yr ochr anghywir. Roedd y gyrrwr wedi bod yn yfed. Lladdwyd y tri yn y fan.

Dwi'n casáu pan mae pobl yn dweud, 'Gwranda, Nina.'

Ciledrychais ar y bwrdd wedi ei arlwyo'n ddisgwylgar ar gyfer y *chicken korma* a'r *lamb biryani* coll. Ond y funud honno, hyd yn oed petai 'na blatiad o 'mlaen i, fyddwn i ddim wedi gallu bwyta cegiad ohono fo.

'Dwi wedi cyfarfod rhywun arall,' medda fo fel bwled, heb lyncu ei boer. Pum gair a newidiodd fy mywyd. Newid fy nghynlluniau, fy ngobeithion, fy mreuddwydion i. Fy nyfodol.

Er bod dros flwyddyn bellach ers y gwahanu mawr, mi roedd o'n dal i frifo. Mi ro'n i hefyd wedi 'laru gorfod dioddef wynebau cydymdeimladol yn teimlo trosta i, a'r diwn gron honno, 'Paid â phoeni, ma 'na ddigonedd o bysgod yn y môr.' Neu'r lein boblogaidd arall honno, 'Ma 'na frân i bob brân, wyddost ti.' A finnau'n tynnu am fy neugain ro'n i'n grediniol bod rhywun wedi saethu fy un i ac mai 'hen ferch', chwedl Anti Eirlys, fyddai'n hanes i.

'Wel, a deud y gwir, ma gen i gynlluniau'n hun y penwythnos yma digwydd bod,' atebais yn ôl wrthi.

Doedd hi ddim i wybod mai tynnu'r cwpwrdd êrio i 'mhen oeddwn i'n fwriadu ei wneud. Ac ella, os o'n i'n dal i deimlo'n anturus, piciad i'r ganolfan arddio leol i brynu bylbs tiwlips a daffodils ar gyfer eu plannu yn y tybiau ar y patio. Ro'n i hefyd wedi edrych ymlaen i orffen llun ro'n i ar ganol ei sgetsio.

Ro'n i wrth fy modd yn paentio lluniau a sgetsio. Dyna oedd a dyna ydi fy mhrif ddiléit i a deud y gwir. Artist oedd fy nhad dach chi'n gweld. O edrych yn ôl fyswn i wedi bod wrth fy modd yn mynd i goleg celf ond doedd gen i mo'r amynedd heb sôn am y gallu, yn anffodus, i fynd i'r chweched dosbarth. Gadewais yr ysgol y ffordd gyntaf ac ar awgrym Anti Eirlys es i wneud cwrs gofal plant. 'Fedri di gael job bach neis mewn meithrinfa, Nina, neu fynd yn nani ella.' (Wyddai hithau na finnau mor broffwydol oedd ei geiriau hi ar y pryd.)

'Dwi'n siŵr fedri di aildrefnu beth bynnag sy gin ti, cyw,' pwysodd Anti Eirlys. 'Yli, waeth i ti ddŵad ddim. Gei di aros mewn hotel *swish*. Pedair seren, sdi. Ma 'na sba yna a bob dim. Awn ni am fasaj. Gawn ni neud ychydig o siopa Dolig. Gawn ni fynd am sbec yn yr arcêds bach neis 'na ac mi awn ni am ginio bach posh yn rhwla. Yr Ivy ella. Ma 'na drip bora Sadwrn i Sain Ffagan ond i be awn ni i drampio rownd rhyw hen adeilada diflas? Ow, tyrd yn dy flaen, gawn ni hwyl, sdi, cyw. Duwcs, wybod ar ddaear pwy wnei di gyfarfod tua Chaerdydd yna. (Wyddai hithau na finnau pa mor broffwydol oedd y geiriau hynny chwaith!). Chei di ddim gafael ar neb yn ista yn tŷ, sdi. Dim ond gwaith a gwely ydi dy fywyd di wedi mynd, Nina bach. *Live a little*, cyw. Hei, ella fasat ti'n gallu trefnu i gyfarfod honna o'dd yn r'ysgol efo chdi? Ma hi'n byw yng Nghaerdydd, tydi? Wedi gneud yn dda iddi hi ei hun. Be di henw hi, dwa?'

'Haf.'

'Ia, Haf. Hogan neis.'

Ar fy ngwaethaf roedd y cynnig yn mynd yn fwy ac yn fwy atyniadol bob eiliad. Doedd gen i ddim unrhyw gynlluniau o fath yn y byd ar gyfer y penwythnos hwnnw. Doeddwn i ddim 'di bod yng Nghaerdydd ers tro byd. Y tro diwethaf fues i lawr yno oedd i wylio gêm rygbi efo Emyr gan aros mewn air b&b uwchben rhyw barlwr tatŵ yn Canton. Fyswn i'n gallu trefnu i fynd am baned efo Haf. Beth oedd ei hanes hi bellach, tybed? Doeddwn i ddim 'di clywed ganddi ers sbel. Pan welais i ar Ffesbwc ei bod hi fyny yn y gogledd yn fisitio ei mam a'i thad ychydig fisoedd yn ôl, mi wnes i anfon neges ati yn cynnig ein bod ni'n dwy'n cyfarfod. Ches i ddim ateb i fy neges na fy nghynnig er ei bod hi'n amlwg wedi'i ddarllen o. Mae'n rhaid ei bod hi'n rhy brysur.

Dechreuais feddwl am y siopau wedyn. Byddai'n braf cael mynd am sbec rownd John Lewis a'r siopau mawr eraill yn y canolfannau siopa. Byth ers i Debenhams gau ym Mangor a Chaer roedd y ddwy ddinas wedi mynd i lawr yn drybeilig. Ac wedyn dyma Anti Eirlys yn dangos ei cherdyn gorau. Yr un roedd hi wedi ei gadw i fyny ei llawes yn barod i'w ddefnyddio petai'r angen.

'Mi fydd hi'n dair blynedd ers i ni golli dy Yncl Dilwyn wîcend nesa, sdi, cyw,' meddai'n ddagreuol. 'Fedra i ddim meddwl aros yn yr hen dŷ 'ma adeg hynny ar ben fy hun fach. Mi fysa'n neis i ni'n dwy fynd i rwla a gneud rhywbeth efo'n gilydd. Fysa dy Yncl Dilwyn wedi licio hynny...'

O, oedd roedd Anti Eirlys yn gwybod yn iawn sut i ddwyn perswâd.

'Mi wna'i ffonio'r cwmni *bus* fory i newid yr enw ar y bwcing,' meddai hi wedyn ar yr un gwynt.' Yfodd ei jin ar ei dalcen. Roedd y drafodaeth ar ben.

A dyna chi, ddarllenwyr, sut y ffeindiais i fy hun ar drip bws i Gaerdydd yn llawn geriatrics.

A dyna pryd ddechreuodd yr holl beth.

BWRW GLAW YN SOBOR IAWN

O YSTYRIED CYFARTALEDD oed y teithwyr ro'n i 'n synnu nad oedd yna feddyg neu o leiaf un nyrs yn bresennol ar y trip. Dim gormodiaith oedd dweud fod y risg i un ohonyn nhw gael eu taro'n wael neu'n waeth, yn uchel iawn.

Wedi stopio am *comfort stop* yr oedden ni – un arall, eto fyth. (Roedd tŷ bach y bws wedi blocio cyn cyrraedd Bae Colwyn.) Ar ôl hir ddisgwyl i'r hynafiaid ddod yn eu holau, roedd Lloyd, ein tywysydd, efo cymorth y gyrrwr, yn rhoi help llaw i rai o'r hen begoriaid bregus yn ôl ar y bws.

'Fyny â chi, Enid bach, wps… gwyliwch y step… 'na chi, pwyll pia hi,' medda Lloyd yn ei ffordd ddihafal ei hun wrth un o regiwlars teithiau Cambrian Coaches. 'Dach chi isio *piggy back*? Neu fysa well gynnoch chi ga'l *fire man's lift* gin hwn?' amneidiodd i gyfeiriad y gyrrwr bws. 'Mmm, fyswn i ddim yn mendio codiad ganddo fo, fysech chi?' medda fo wedyn yn awgrymog.

A dyna pryd y sylwais i arno fo. Y dreifar. Pan wnes i gamu ar y bws yn blygeiniol y bore hwnnw, mi roedd o wrthi'n bustachu efo'r cesys ym mŵt y bws. Ac wedyn, o fy sedd ffenest yn yr ail res, dim ond ei gefn o'n i wedi'i weld. Doeddwn i chwaith ddim yn cymryd fawr o sylw o'r hyn oedd o 'nghwmpas i gan fy mod i'n gwrando ar ryw bodlediad digon difyr yn trafod beth oedd ein cyndeidiau yn ei ddefnyddio yn lle papur lle chwech.

O'n i'n amau nad oedd o'n bell o fy oed i. Roedd ganddo

fo wallt cyrliog tywyll oedd wedi dechrau britho ar ei arlais. Gwenai'n glên ar y teithwyr gan dynnu eu coes yn hwyliog. I feddwl ei fod o'n eistedd ar ei ben ôl am oriau maith bob dydd roedd ganddo gorff ffit, chwarae teg. Y peth cyntaf wnes i wedyn oedd edrych ar ei law chwith. O'n i'n disgwyl gweld band aur. Doedd 'na ddim un.

Callia rŵan, Nina, paid â chodi dy obeithion ormod, tydi hynny'n arwydd o ddim byd. Mae 'na lot o ddynion sydd ddim yn gwisgo modrwy briodas. A hyd yn oed os nad ydi o'n briod siawns fod dyn ffit fatha fo wedi'i fachu, darbwyllais fy hun. A tasa fo trwy ryw ryfeddol wyrth yn sengl, fysa fo byth bythoedd yn sbio ar ryw hen lygoden fach, ddiflas fatha fi, meddyliais.

'Gwranda, dwi 'di cael cynnig mynd i ista at Maureen, Iola, Christine a Gwyneth yn y sedd gefn, fyddi di'n iawn ar ben dy hun yn fyma, byddi, cyw?' meddai Anti Eirlys gan dorri ar draws fy meddyliau.

Roedd bladyr wan gan Anti Eirlys ac fel sawl un arall ar y trip, o be welwn i, roedd hi wedi manteisio ar y toilet stop. Tra roedd hi'n ciwio yn y tŷ bach roedd hi wedi dechrau sgwrsio efo pedair teithwraig arall ac wedi cael cynnig ymuno efo nhw.

'Ma 'na le i un bach arall yn y cefn, meddan nhw, a ma gin Maureen botel o brosecco,' winciodd arna i'n ddireidus.

Welais i ddim lliw ei thin hi wedyn tan i ni gyrraedd Caerdydd. Er i mi a phawb arall ei chlywed hi'n iawn. Roedd ei chanu a'i chwerthin uchel hi'n llenwi'r bws. Rŵan, 'ta, peidiwch â nghamddeall i, nid mod i'n deisyfu cwmni Anti Eirlys yr holl ffordd i Gaerdydd ond mi ro'n i'n teimlo fymryn bach yn siomedig ei bod hi wedi fy ffeirio fi am gwmni amgenach munud roedd 'na sniff o alcohol ar gael. A dweud y gwir, nid yn unig o'n i'n teimlo'n siomedig ond o'n i'n teimlo fymryn bach yn flin am y peth. *Pissed off*, mewn geiriau eraill.

Ro'n i'n dal i deimlo felly ar y bore Sadwrn hefyd. Pam ar wyneb y ddaear y gwnes i gytuno i fynd efo hi i Gaerdydd? meddyliais wrth gael fy arwain tuag at fwrdd i un a oedd wedi'i osod ar gyfer dau yn yr ystafell fwyta amser brecwast. Eisteddais i lawr gan giledrych ar y sedd wag gyferbyn. Roedd Anti Eirlys dal yn ei gwely a dim siâp codi o gwbl arni hi. Y noson cynt, ro'n i wedi ei gadael ym mar y gwesty yng nghwmni ei ffrindiau newydd. Roedd hi'n tynnu am ddau arni hi'n dod i fyny i'w stafell ar ôl noson hegar ar y coctels. Ges i fy neffro gan sŵn cnocio gwyllt.

'Nina! Agor y drws 'ma, cyw. Dio'm yn gweithio. Tydi'r blincin cerdyn 'ma ddim yn gweithio... Nina!'

Doedd dim o'i le ar y cerdyn wrth gwrs. Anti Eirlys yn ei meddwdod oedd yn mynnu, pob gafael, ei roi o i mewn ben i wared yn y slot yn y drws.

'Sh! Cadwch eich llais i lawr, wir, cyn i chi ddeffro'r holl lawr. Dach chi'n gwybod faint o'r gloch ydi hi?' hisiais arni'n flin ar ôl cael fy neffro'n ddisymwth a chael fy ngorfodi i godi i agor y drws.

Ambell dro, ac roedd y noson yma yn un ohonyn nhw, o'n i'n teimlo mai y fi oedd y fodryb ac mai Anti Eirlys oedd y nith. Welwyd erioed dwy mor debyg â'r ddwy rheini, Saffy ac Edina yn y gyfres *Absolutely Fabulous*. Er ar ôl meddwl efallai fod Anti Eirlys yn ymdebygu mwy i Patsy mewn gwirionedd.

Caeais y drws ac ymlwybro'n ôl i fy ngwely'n biwis.

'Blewyn newydd basio blewyn,' giglodd Anti Eirlys gan igian a tharo rhech slei, ond ddim mor slei ag roedd hi wedi'i obeithio. Mygais yn yr oglau.

'O, gwranda, cyw,' meddai hi wedyn gan ddechrau tynnu amdani. 'Fydda'i ddim yn medru dod efo chdi i siopa bora fory.'

'Pam, 'lly?' gofynnais yn syn.

'Dwi'n mynd i Sain Ffagan efo Maureen, Christine, Iola a Gwyneth. Dwi rioed wedi bod 'na... ow, sciws mi,' meddai Anti Eirlys wedyn. Roedd hi newydd dorri gwynt eto, o'r pen arall y tro hwn. 'Fyddi di'n iawn byddi, cyw? Dwyt ti ddim isio llusgo ryw hen groc fatha fi rownd y siopa efo chdi, beth bynnag.'

'Ond... o'n i'n meddwl...'

'W't ti 'di gweld fy mrwsh dannedd i?' Roedd hi yn ei bra a'i nicer Sloggi erbyn hyn. 'Dwi'n siŵr i mi roi o yn fy mag 'molchi... Dim ots, wna'i iwsio un chdi, ocê?' meddai wedyn gan ochrgamu i gyfeiriad y stafell ymolchi.

Caeais fy llygaid a chyfri i ddeg. Argoledig, mi roedd eisiau gras ac amynedd. Roedd Anti Eirlys wedi llwyddo i fy swcro i ar y trip yma efo pob mathau o addewidion, fel, 'Awn ni i'r lle a'r lle. Mi wnawn i hyn a'r llall.' Ond roedd y cynlluniau rheini i gyd wedi mynd i'r gwellt a chael eu hanghofio'n llwyr ar ôl iddi gyfarfod â'i heneidiau hoff cytûn. Ro'n i'n meddwl fy mod i'n gwneud ffafr fawr â hi drwy gytuno i ddod ar y trip yn gwmni iddi hi. O'n i wedi gweld bechod drosti. Ond doeddwn i ddim uwch na gwell fy mharch. Mi ro'n i waeth allan os rhywbeth. Mi fues i'n troi a throsi am oriau cyn mynd yn ôl i gysgu. Doedd chwyrnu Anti Eirlys ddim yn helpu chwaith.

Ar ôl clamp o frecwast llawn yn y gwesty, ymlwybrais i gyfeiriad meca'r siopwyr, Canolfan Dewi Sant. Hen ddydd Sadwrn mwll a thamp oedd hi. Ro'n i wedi anfon neges at Haf yn gynnar y bore hwnnw yn dweud fy mod i lawr yng

Nghaerdydd a chynnig i'r ddwy ohonom gyfarfod dros baned yn rhywle. Mi roedd Haf newydd fy ateb yn cynnig i ni gyfarfod am goffi yng nghaffi'r deml fawr, John Lewis am un ar ddeg. Roedd Haf eisiau dychwelyd rhyw ddilledyn, medda hi, felly gallai ladd dau dderyn yr un ffordd. Dim ond hanner awr wedi naw oedd hi, roedd gen i fwy na digon o amser i wneud ychydig o siopa Dolig cyn hynny. Er doeddwn i ddim angen prynu llawer o anrhegion chwaith. Ers y gwahanu mawr, mi roedd fy rhestr anrhegion Dolig wedi byrhau'n ddiawledig. Dim mwy o grafu pen a stresio ynglŷn â beth i'w brynu i rieni Emyr, ei ddwy chwaer a'u gwŷr a'u hepilod, heb sôn am bresant drudfawr iddo fynta. Yr unig anrhegion ro'n i angen eu prynu bellach oedd i Anti Eirlys (sent a choban fel rheol), Linda a Heulwen, dwy gymorthwraig oedd yn gweithio efo fi (sebonach neu gannwyll go neis) ac i gennod bach drws nesa (llyfr a siocled).

Am bum munud i un ar ddeg ro'n i'n sefyll ger y fynedfa i gaffi John Lewis ar y trydydd llawr, wedi hen orffen fy siopa Dolig. Am chwarter wedi un ar ddeg doedd dal dim golwg o Haf. Dechreuais amau ai un ar ddeg ddeudodd hi, 'ta hanner awr wedi un ar ddeg. Estynnais fy ffôn a chwilio am neges Haf ar Messenger er mwyn gwneud yn siŵr. Roedd Haf newydd anfon neges:

> 'Haia, sori, methu gneud un ar ddeg, gorfod danfon Elin i ymarfer pêl-rwyd. Be am gyfarfod am ginio am 1pm?'

Diolch byth fy mod i wedi tsiecio fy negeseuon, neu yno y byswn i yn sefyll fatha lemon. Rŵan 'ta, be o'n i'n mynd i neud efo fi fy hun am awr a chwarter? Doedd dim amdani ond mynd rownd John Lewis unwaith eto.

Wn i ddim beth wnaeth i mi jecio fy negeseuon tua chwarter i un, rhyw deimlad yn fy nŵr siŵr o fod.

'Haia (neges arall gan Haf) Siôn (ei gŵr hi oedd hwnnw) byth yn ei ôl o'i gêm golff. Neb i warchod y plant. Siawns fydd o yn ei ôl erbyn 3pm. Welai di am 3.30pm x'

Be ddylwn i fod wedi ei neud oedd ei hateb yn ôl a dweud wrthi, yn anffodus roedd gen i drefniadau eraill y pnawn hwnnw ac efallai y byddai modd i ni'n dwy gyfarfod y tro nesa byddwn i lawr yng Nghaerdydd neu pan fyddai Haf i fyny yn ymweld â 'i mam yn Sir Fôn. (Stwffia dy baned, mewn geiriau eraill, gan fy mod i wedi gwastraffu'r rhan fwyaf o 'niwrnod yn aros amdani hi fel ag yr oedd hi). Yn hytrach, be wnes i, yn fy ngwiriondeb eto, oedd anfon arwydd y bawd a gwên iddi.

Er y brecwast llawn mi ro'n i ar fy nghythlwng erbyn hyn. Doedd dim amdani ond mynd am ginio bach sydyn. Roedd gormod o giw yn y caffi a phenderfynais fynd allan i'r stryd i chwilio am gaffi arall. Ond yr un oedd y stori ym mhob man. Roedd fel petai pawb a'i nain wedi penderfynu cael cinio'r un pryd y dydd Sadwrn hwnnw. O'n i'n dechrau anobeithio y byddai lle mewn unrhyw gaffi. Ond ar ôl chwilio am sbel, ymhen hir a hwyr mi ges i hyd i gaffi yn un o'r arcêds. Yr arcêds rheini roedd Anti Eirlys wedi sôn y gallen ni ymweld â nhw. Ar ôl sglaffio sosej rôl sych ddi-flas a salad tila a oedd yn cynnwys hanner tomato oren caled, y darn lleiaf welsoch chi erioed o giwcymber a letan lipa (doedd 'na fawr o ddewis ar ôl erbyn i mi gyrraedd y cownter) doedd hi'n dal ddim ond yn ddeg munud i ddau. Be yn y byd mawr ro'n i'n mynd i neud am bron i awr a hanner arall? Roeddwn i wedi hen, hen syrffedu siopa bellach. Wnes i feddwl prynu defnyddiau paent ac ati ond wnes i ailfeddwl o weld eu prisiau.

Tasa gen i fwy o amser mi fyswn i wedi gallu mynd i weld ffilm. Penderfynais yn y diwedd gerdded i waelod stryd St

Mary's a chael tacsi i'r bae i wastraffu awran dda yn y fan honno.

Mi roedd hi wedi bod yn rhyw smwcian bwrw drwy'r bore ond erbyn i mi gyrraedd y bae roedd y nefoedd wedi agor go iawn. Doedd dim pwynt i mi lyffanta yn y glaw felly dyma ddweud wrth y gyrrwr tacsi am droi ar ei olwynion a mynd yn ôl syth bin i ganol y ddinas.

Sôn am wast o ddiwrnod, meddyliais, gan rwbio'r stêm oddi ar ffenest y tacsi er mwyn ceisio edrych allan. Byddai wedi bod yn rheitiach o lawer taswn i wedi aros adra i glirio'r cwpwrdd êrio fel ro'n i wedi'i fwriadu ei wneud a phicied i'r ganolfan arddio i brynu bylbs. Mi ro'n i'n flin fy mod wedi cymryd fy mherswadio gan Anti Eirlys. Mi ro'n i hefyd yn dal yn flin fod honno wedi fy amddifadu munud y gwnaeth hi gyfarfod adar o'r un lliw â hi.

O'n i ddim yn coelio'r peth! Pan welais fod gen i neges arall, eto fyth ar Messenger oddi wrth Haf, ro'n i'n gwybod cyn ei darllen be fysa byrdwn ei chynnwys. O'n i ddim yn gwybod ynta i grio neu chwerthin pan wnes i ei darllen yn iawn.

'Haia. Sori, sori, sori, chwaer Siôn a'i gŵr a'r plant newydd landio! Cofio dim ein bod ni wedi trefnu iddyn nhw ddod draw pnawn 'ma. Ma 'nghof i fatha gogor ers cael Lea. Mor, mor siomedig mod i wedi methu dod. Diwrnod olaf i mi fedru mynd â'r bali sgert 'na'n ôl heddiw hefyd. Mi drefnwn ni i gyfarfod pan fydd di lawr yng Nghaerdydd eto. xxx'

Ddim ar boen fy mywyd, meddyliais, gan stwffio fy ffôn yn ôl yn fy mag. Os o'n i'n flin cynt mi ro'n i'n dop caets bellach. Dylwn i fod wedi cofio sut un oedd Haf yn 'rysgol. Doedd hi erioed yn un y bysach chi'n gallu rhoi wyau o' tani. Wastad yn tynnu'n ôl o drefniadau munud olaf. Mi ro'n i'n difaru fy enaid fy mod i wedi cysylltu efo hi yn y lle cyntaf.

Gofynnais i'r gyrrwr tacsi fynd â fi yn ôl i'r gwesty. Ar ôl talu crocbris am y fraint o gael reid i'r bae ac yn ôl, estynnais am fy ambarél. Doedd dim golwg ohono fo. Cachu rwtsh... Mae'n rhaid fy mod i wedi ei adael o yn John Lewis pan o'n i'n chwilio am sent i Anti Eirlys. Dwi'n cofio ei daro fo ar y cownter pan o'n i'n arogli'r gwahanol *testers*.

Roedd hi'n pistyllio bwrw. Doedd gen i ddim unrhyw fath o hwd ar fy nghot wlân. I wneud pethau'n waeth, roedd y ffordd o flaen y gwesty yn cael ei thrin a'r bore hwnnw roedd y stryd wedi cael ei chau i draffig. Felly gorfodwyd y tacsi i fy ngollwng i ar dop y stryd. Er i mi drio fy ngorau glas i gamu'n fân ac yn fuan i osgoi'r dilyw, erbyn i mi gyrraedd y gwesty ro'n i'n wlyb fel sbangi. Hongiai fy ngwallt gwinau yn gudynnau gwlyb blêr o gwmpas fy wyneb. Yn hytrach na disgleirio fel dwy em, dwy lygad fel dwy lygad panda ddu oedd gen i. Mi ro'n i'n oer ac yn wlyb at fy nicer. Ro'n i'n dyheu am gawod neu fath cynnes. Roedd heddiw wedi bod yn *wash out* llwyr.

Disgwyliais yn ddifynadd am y lifft yn nerbynfa'r gwesty, yn dripian ar y teils marmor. Ailbwysais y botwm. Ac eto'n wyllt.

'Waeth i ti heb ddim,' meddai'r llais dyn tu ôl i mi. 'Ddaw o ddim cynt.'

Troais i wynebu'r llais. Symudais gudyn gwlyb o fy llygaid i weld yn iawn. Y fo oedd o. Dreifar y bws. Doedd dim golwg o Anti Eirlys a'i *posse* chwaith. Wedi mynd i fochel rhag y glaw mewn rhyw far mae'n debyg. Roedd y dreifar hefyd yn amlwg wedi cael ei ddal yn y glaw, ond doedd o ddim wedi cael hanner y drochfa ro'n i wedi'i chael.

'Tydi hi ddim ffit allan yna,' gwenodd gan syllu arna i o 'nghorun i'm sawdl soeglyd.

''Nes i adael fy ambarél yn John Lewis,' medda fi, yn deud y peth cyntaf ddaeth i 'mhen i.

'Poenus i'r hen John.'

'Sori?'

'Jôc. Dim ots,' gwenodd yn slei arna'i eto. Comig yn ogystal â phishyn, medda fi wrtha fi fy hun.

'Wyt ti ar yr un trip â fi, dwyt?' medda fo wedyn.

Nodiais fy mhen a rowlio'n llygaid.

'O'n i'n meddwl dy fod ti. Sdim llawer o bobol dy oed ti ar y tripia yma fel arfer.'

Mi oedd o wedi sylwi arna i felly.

'Fi ydi'r unig un sydd heb ga'l fy mhas *bus* dwi'n siŵr.'

'Dwi'm yn amau,' chwarddodd gan ddangos rhes o ddannedd syth claerwyn. 'Sciwsia fi am ofyn, 'de, ond pam w't ti ar drip sy'n llawn pensionïars, 'ta?'

Gwenais yn wan. 'Dyna be dw inna 'di bod yn ei ofyn i fi fy hun hefyd. Dŵad efo Anti Eirlys 'nes i.'

'O, wela i. *Carer* hi w't ti, ia?'

'Argoledig fawr, naci!' chwarddais. 'Anti Eirlys fysa'r ola i fod angen gofalwr. Hi oedd yn cadw reiat yn y sedd gefn 'na ar y ffordd i lawr.'

'Dy anti di oedd honno?' gofynnodd yn syn. Roedd o'n amlwg yn cofio'r canu, wel, fwy fatha nadu meddw efo geiriau coch o'r sedd gefn. 'Cesan ydi hi. Oedd hi'n canu yn y bar neithiwr tan berfeddion, hi a Lloyd fel ryw Sonny a Cher.'

'Tydi hi ddim ffit,' medda fi gan ochneidio.

'Ma hi a'i mêts wedi mynd draw i'r Ivy am goctêls. Ges i gynnig mynd efo nhw.'

'Do, mwn.' Ysgydwais fy mhen.

Agorodd drws y lifft. Camais i mewn a chamodd y dreifar ar fy ôl i. Pwysais fotwm rhif pedwar.

'Llawr rhif pedwar dw inna hefyd,' meddai fo a syllu i fyw fy llygaid gan ddal fy edrychiad fymryn yn fwy nag oedd angen. Roedd ei lygaid tywyll yn hypnotig.

Cerddodd y ddau ohonom ar hyd y coridor heb yngan gair. Cyrhaeddais fy stafell.

'Wel, wela'i di fory felly. Deg 'dan ni'n cychwyn yn ein hola, ia?' medda fi yn gwybod yn iawn mai am ddeg oedden ni'n cychwyn. Ond o'n i ddim yn gallu meddwl am ddim byd gwell i'w ddweud.

'Ia, 'na chdi. Deg. Sori... dwi'm yn gwybod dy enw di. Marcello ydw i.'

Marcello? O'n i ddim wedi disgwyl hynna.

'O'dd Nain yn dod o Sbaen. O Malaga,' esboniodd gan wenu. Efo'i bryd a'i wedd dywyll mi ro'n i'n iawn i feddwl felly fod 'na frid egsotig ynddo. 'Ond ma pawb yn galw fi'n Marc. Marc Jones.'

'O Gwmderi, ia?' medda finnau yn trio bod yn ddoniol.

'Sori?' medda fo'n ôl yn ddryslyd, yn amlwg ddim yn ffan o'r opera sebon.

'Nina dwi. Nina Bennett.'

'Wela'i di fory felly, Nina Bennett.'

'Ta ra,' medda finnau gan gamu i mewn drwy'r drws yn cicio fy hun am ddweud be wnes i.

'Ti ffansi drinc heno? Hynny ydi, os nad oes gen ti blaniau eraill, wrth gwrs.' gofynnodd fel o'n i am gau'r drws.

Planiau? Yr unig blaniau oedd gen i oedd bath poeth, *room service* a gwely cynnar. Roedd planiau Marc yn swnio lot fwy atyniadol. Roedd curiad fy nghalon i wedi cyflymu mwyaf sydyn.

'Mi fyddai'n braf cael cwmni. Ond dim pwysau cofia,' medda fo wedyn.

'Faint o'r gloch?' medda finnau gan ledu fy nrws fwy ar agor.

Arafa, Nina bach, arafa, wir Dduw. Paid â swnio mor cîn. Ond allwn i ddim helpu fy hun. Pryd oedd y tro diwethaf i hync fel yr un oedd yn sefyll o mlaen i y funud honno, ofyn i mi fynd allan am ddrinc efo fo?

'Be ddeudan ni? Saith lawr yn y bar?'

'Grêt.'

'Ti'n siŵr dwi ddim yn tarfu ar unrhyw drefniadau eraill sgin ti?'

Trefniadau, pa drefniadau?

'Ddim o gwbl.'

Aeth yna hen ias oer lawr fy nghefn ar ryw reswm. Crynais. Roedd fel tasa rhywun newydd gerdded dros fy medd. Doedd sefyllian mewn dillad tamp yn gwneud dim lles i mi.

'Well i ti fynd am fath cynnes cyn i ti gael heipothermia?' awgrymodd Marc gan wenu'n glên arna i eto.

Fflachiodd delwedd yn fy meddwl o'r ddau ohonom yn sgrwbio cefnau'n gilydd mewn bath llawn swigod wedi'i oleuo efo canhwyllau bychan. Roedd dau wydr a photel o siampên ar yr ochr...

'Wela'i di lawr yn y bar am saith,' medda fo gan ddod â fi yn ôl at fy nghoed.

Ac felly, ddarllenwyr, mewn amrantiad newidiodd fy lwc. O gael bore a phnawn cachu rwtsh, roedd y noson, serch hynny, yn argoeli i fod yn un addawol iawn.

PRINS CHARMING

'TI'N MYND AR ddêt? Efo'r dreifar *bus*?'

O'r syndod yn llais Anti Eirlys fysach chi'n meddwl mod i wedi dweud wrthi fy mod i'n mynd ar ddêt efo Matt Hancock, ddim llai.

'Dim dêt ydi hi. Dim ond am ddrinc,' pwysleisiais gan wingo. Ro'n i newydd losgi top fy nghlust dde efo fy sythwr gwallt. Ro'n i wastad yn llwyddo i wneud hynny pan o'n i ar frys.

'Be arall ydi hynny ond dêt, cyw?' wfftiodd Anti Eirlys gan helpu ei hun eto fyth i gynnwys y mini bar. 'Ma o'n dipyn o hync, chwara teg. Dymunol iawn i sbio arno fo. Taswn i ryw ugain mlynedd yn fengach fyswn i ddim meindio mynd i'r afal â'i gêr stic o fy hun.'

'A'r gweddill,' mwmiais o dan fy ngwynt.

'Ddeudaist ti rwbath, cyw?' gofynnodd Anti Eirlys gan sipian ei jin. 'Be 'di hanas o felly?'

'Be dach chi'n feddwl "be 'di'i hanas o"?'

'Yn union be dwi'n newydd ofyn, 'te. O le mae o'n dŵad? Peth rhyfedd na fysa pishyn fath fo wedi'i fachu erstalwm. Ti'n siŵr tydi o ddim wedi priodi? Difôrsd ydi o, ia?'

'Ylwch, dim ond mynd am ddiod efo fo ydw i.'

'Be ti'n mynd i roi amdanat? Mi wyt ti am newid o'r hen jîns llwyd 'na a'r hen dop du 'na, wyt, cyw?'

'Ma rhein yn newydd!' protestiais. Be sy o'i le ar y jîns a'r top 'ma?'

Edrychodd Anti Eirlys arna i o 'nghorun i'm sawdl. 'Mm,' meddai gan wgu. 'Gei di fenthyg rwbath gin i.'

Cyn i mi gael cyfle i wrthwynebu, agorodd ddrysau'r wardrob led y pen. Roedd fy ochr i fel wardrob gweddw newydd. Roedd ochr Anti Eirlys ar y llaw arall yn cwmpasu holl liwiau'r enfys a mwy. Ffliciodd yn wyllt drwy'r llwyth hangyrs.

'Hon neith,' chwifiodd Gok Eirlys Wan ffrog *body con* lliw *teal* efo belt llydan o 'mlaen i.

'No we dwi'n gwisgo honna! Ma hi lot rhy grand.' Ysgydwais fy mhen yn gadarn.

'Tria hi, cyw.' Gwthiodd Anti Eirlys y ffrog i fy ngwep fel nad oedd gen i fawr o ddewis.

Yn anfoddog gwisgais y ffrog.

'Wel, tro rownd, 'ta. I mi gael dy weld ti.'

Yn union fel hogan fach dair oed mewn strop am ei bod yn cael ei gorfodi i wisgo ffrog barti a honno â'i bryd ar wisgo *dungarees*, troais yn anfoddog. Ochneidiais yn flin.

'Wiw! Mae hi'n ffitio chdi fatha maneg. A ma'r lliw *teal* 'na yn berffaith i dy *colouring* di, cyw. Ynda, rho'r rheina am dy draed hefyd.' Gwthiodd bâr o sodlau lliw *nude* ata i.'

Syllais arnaf fi fy hun yn y drych. Am unwaith, mi roedd Anti Eirlys yn llygaid ei lle. Mi roedd y ffrog yn fy siwtio. Mi roedd ei siâp a'i lliw yn gweddu i mi i'r dim. A deud y gwir, tasa hi'n weddus dweud, mi roedd hi'n fy siwtio i yn well nag oedd hi i Anti Eirlys. Tueddu i brynu pethau braidd yn rhy ifanc i'w hoed a'i siâp oedd fy modryb.

'Dach chi'n siŵr dydi hi ddim yn ormod jyst i fynd am ddiod?' gofynnais yn amheus. Doeddwn i'n dal ddim wedi cael fy argyhoeddi'n llwyr. 'Dim ond mynd am ddiod i'r bar ydan ni.'

'Esgus gwych i wisgo fyny, felly. Rŵan 'ta, dy fêc yp di.'

O na, doedd Anti Eirlys ddim wedi gorffen eto.

'Dwi wedi rhoi mêc yp,' protestiais.

'Do, tasat ti'n picied allan i siop i nôl peint o lefrith ella. Ond ddim i fynd ar ddêt.'

'Sawl gwaith sydd isio deud. Dwi ddim yn mynd ar ddêt!'

Anwybyddodd Anti Eirlys y sylw. 'Lle ma dy *eyeliner* di? A ma isio dipyn o *rouge* ar y bochau 'na. Tydi'r lipstic 'na'n gneud dim byd i chdi, cyw. Tyrd yma. Gad i mi ddangos i chdi.'

A wir i chi dyma hi'n llythrennol yn fy ngwthio i i'r gadair agosaf a dechrau tyrchu yn ei bag mêc yp. Dwi'n siŵr mai fel hyn roedd Sindarela yn teimlo pan gafodd ei thrawsnewid gan ei Fairy Godmother i fynd i'r ddawns. Ond fy mod i'n cael mêcofyr gin Anti Eirlys i fynd ar ddêt (er mai dim dêt oedd hi yng ngwir ystyr y gair) efo fy Prins Charming innau.

''Na welliant.'

Camodd Anti Eirlys yn ei hôl i edmygu ei champwaith ac i gymryd sip arall o'i jin yr un pryd. 'Dwi wedi bod yn ysu i sortio allan dy fêc yp di erioed. Ti'n hogan ddel pan ti'n trio, sdi, cyw.'

O wybod hoffter Anti Eirlys o'r pensil *kohl* a'r minlliw coch roedd gen i ofn edrych yn y drych. Ofnwn yn fawr y byddai hi wedi mynd dros ben llestri go iawn. Ro'n i'n barod i estyn am y *facial wipes* i dynnu'r llanast. No we fy mod i'n mynd i gyfarfod Marc yn edrych fatha clown.

Codais gan gamu at y drych yn ofni'r gwaethaf.

Ro'n i'n methu credu peth. Be oedd Anti Eirlys wedi'i wneud? Syllais arnaf fi fy hun unwaith ac yna ddwywaith. Doeddwn i ddim yn adnabod fy hun. Ddim y fi oedd yr hogan oedd yn syllu'n ôl arna i fi fy hun, doedd bosib? Roedd y pensil *kohl* wedi tynnu sylw at fy llygaid lliw gwyrdd frown yn berffaith.

Roedd yr ychydig o *rouge* ar fy mochau a'r lipstic coch, ia, coch (lliw na fyswn i byth bythoedd yn ei wisgo fel arfer) yn fy siwtio i'r dim. Na, doeddwn i ddim yn edrych fatha clown o bell ffordd. A deud y gwir doeddwn i ddim yn edrych yn rhy ddrwg o gwbl.

Does gen i fawr o hyder wedi bod ynof i fy hun na'r ffordd dwi'n edrych erioed. Pan o'n i'n fach mi oedd gen i sgwint a llygad ddiog. *Squinty* roedden nhw'n arfer fy ngalw i yn yr ysgol fach neu *four eyes*. Am sbel, mi roedd rhaid i mi wisgo *patch* am fy llygaid chwith ac wedyn sbectol drwchus efo gwydrau pot jam. I wneud pethau saith gwaeth, roedd gen i ddannedd cam a bu rhaid i mi wisgo *braces*, y rhai traciau trên rheini, am dros flwyddyn a mwy pan o'n i ym mlwyddyn wyth. Doedd fy ngwallt cyrliog coch a brychni ddim help chwaith.

Does fiw i blentyn fod yn wahanol mewn unrhyw ffurf na siâp neu mi fydd hi wedi canu arno fo neu hi. Mi fydd y bwlis yn siŵr o wneud bî-lein amdanoch chi. Mi fyddwch chi'n gocyn hitio hawdd iddyn nhw am flynyddoedd lawer, fel bues i'n anffodus. Ro'n i'n wahanol i'r plant eraill hefyd yn y ffaith nad oedd gen i ddim rhieni chwaith. *Little orphan* Nina oedden nhw yn fy ngalw i am gyfnod. O, do, mi ges i sawl blasenw ar hyd y blynyddoedd a fy mwlio o ddyddiau ysgol gynradd hyd diwedd fy nghyfnod yn yr ysgol uwchradd.

Pan o'n i yn yr ysgol gynradd mi ro'n i wrth fy modd yn gwneud lluniau, paentio felly. Fel y soniais i, mi oedd fy nhad yn arfer paentio, lluniau dyfrlliw'n bennaf oedd o. Mae rhai o'i luniau fo'n dal gen i hyd heddiw. Lluniau o draethau Sir Fôn; bae Cemaes, Moelfre, Lligwy ac ati. Un o'r pethau diwethaf brynodd o i mi oedd pad sgetsio a set lliwio. O'n i wrth fy modd pan oedd hi'n bwrw glaw amser chwarae ac amser cinio yn yr ysgol, golygai hynny wedyn ein bod ni'n cael aros i mewn i dynnu lluniau a phaentio. Un flwyddyn, mi roedd ein hathrawes ddosbarth ni, Miss Phillips, wedi penderfynu ein bod ni gyd am gael cystadlu yn y cystadlaethau Celf a Chrefft yn Eisteddfod yr Urdd. Mi roedd hi am anfon y gwaith gorau ymlaen. Chwedlau oedd teitl y gystadleuaeth paentio llun, dwi'n cofio'n iawn. Rhyfedd fel mae rhai pethau'n dal i aros yn y cof, tydi? Mi o'n i wedi paentio llun o Branwen yn dysgu'r drudwy i siarad. O'n i mor falch o'r llun ro'n i wedi'i baentio, ac mi oedd Miss Phillips hefyd.

'Gwych, Nina! Mi wyt ti wedi cael hwyl arbennig arni hi.'

Mi aeth hi ymlaen wedyn i frolio pa mor dda o'n i wedi llunio llygaid y deryn a'i blu amryliw yn biws, gwyrdd ac aur. 'Mi fydd hwn yn bendant yn cael ei yrru i'r gystadleuaeth, da iawn ti,' medda hi wedyn gan wenu arna i.

Ond gwgu wnaeth Jessica a Leanne a oedd yn eistedd wrth fy ochr i. Munud drodd Miss Phillips ei chefn, yn gwbl fwriadol trodd Jessica y pot jam oedd yn dal y dŵr i lanhau ein brwshys dros fy llun. Diflannodd Branwen a'r deryn bach gan adael dim ond llanast o liwiau.

'Miss, Miss! Ylwch be mae Nina wedi'i wneud, Miss!' gwaeddodd Leanne ar yr athrawes yn groch ar ôl ciledrych yn gyntaf ar Jessica.

Rhuthrodd Miss Phillips draw, 'O, Nina bach! Be wyt ti 'di wneud,' y siom yn amlwg yn ei llygaid o weld y llanast ar y llun ac ar y bwrdd a'r llawr.

'Wnes i ddim byd, Miss, protestiais innau. Jessica wnaeth droi'r pot dŵr, dim fi.'

Ydach chi'n gwybod be wnaeth Jessica? Dechrau crio. Wir i chi. O'n i'n sbio'n syn arni hi. Y fi ddylai fod yn crio am be wnaeth hi i fy llun i.

'Dwi... dwi ddim wedi gneud dim byd... Pam ma hi'n rhoi bai arna i?' meddai hi mewn llais dagreuol.

'Nina wnaeth Miss. Weles hi'n gwneud,' ategodd Leanne ei phartneres.

Trodd Miss Phillips ata i'n gas. 'Rhag dy gywilydd di, Nina. Rhoi bai ar gam ar rywun arall. Dos i'r stordy i nôl mop a thywelion papur i chdi gael llnau'r llanast 'ma. Mi wyt ti mor drwsgl. Rhaid i ti fod yn fwy gofalus o'r hanner.'

Wnes i fyth faddau i Miss Phillips am ochri efo Jesscia a'i choelio hi yn lle fi.

Dwi'n cofio hefyd pan oedden ni ym mlwyddyn saith, fform *one* yn yr hen bres, ac wedi cael ein gwers goginio gyntaf. Oedden ni wedi gwneud crymbl afal. O'n i mor prowd o fy *bake off* cyntaf ac yn methu disgwyl mynd â'r greadigaeth adref i ddangos i Anti Eirlys ac Yncl Dilwyn. Roedd Anti Eirlys wedi addo ei bod hi am wneud cwstard i fynd efo fo i ni gael fel pwdin y noson honno. Roedd y crymbls i gyd wedi cael eu gadael yn y dosbarth coginio ac mi oedden ni fod i'w casglu nhw ar ddiwedd y dydd. Pan es i draw i nôl fy nghrymbl doedd dim golwg o ddysgl Pyrex las a gwyn Anti Eirlys yn nunlla. Roedd rhywun wedi'i chuddiad hi 'fel jôc'. Fues i'n chwlio am hydoedd am y crymbl a bron iawn i mi golli'r bws adref. Ges i hyd iddo fo yn y diwedd yn y bin.

Sawl tro tynnwyd cadair ro'n i ar fin eistedd arni oddi tanaf. Bonllef fawr o chwerthin wedyn, wrth fy ngweld i ar fy hyd ar y llawr.

'Nina... Codwch oddi ar y llawr 'na wir! Be dach chi'n feddwl dach chi'n neud? Chwarae'r clown eto, ia?' meddai Mr Jones y Prifathro pan welodd fi fel lleden ar y llawr a rhoi bai ar gam arna i'n syth.

Do, mi ges i sawl bai ar gam ar hyd y blynyddoedd.

'Wn i ddim pam ti'n mynnu sythu'r cyrls 'na chwaith,' meddai Anti Eirlys wedyn. 'Fyswn i wedi gneud rwbath i gael gwallt fatha dy fam a chditha erstalwm. Dwi 'di gorfod gwario cannoedd ar *perms* a blo' dreis ar hyd fy oes. Gymeri di win neu fodca bach cyn mynd, cyw? *Dutch courage,* 'lly?'

'Dim diolch.'

Fel ydach chi wedi'i gasglu erbyn hyn mae'n siŵr, ateb Anti Eirlys i bob dim – o newyddion da i newyddion drwg – ydi jin. Neu unrhyw fath o alcohol, deud gwir. Ers iddi golli Yncl Dilwyn, roedd y bin ailgylchu gwydr tipyn llawnach. O wybod sut y bu farw ei chwaer a'i brawd yng nghyfraith fysach chi'n meddwl na fysa hi'n cyffwrdd mewn dropyn o alcohol, ond i'r gwrthwyneb os rhywbeth.

Estynnais am fy mag ac edrych ar fy wats. Roedd hi'n tynnu am bum munud i saith. Diolch i ymyrraeth Anti Eirlys, roedd yr holl ditifêtio wedi cymryd mwy o amser nag o'n i wedi'i fwriadu.

'Ti'n nerfus, cyw? Ow, o'n i'n ofnadwy pan es i ar fy nêt gynta efo dy Yncl Dilwyn. Dwi'n cofio i mi yfed dau Babycham ar stumog wag cyn iddo fo alw amdana i. O'dd fy mhen i'n troi!' chwarddodd Eirlys wrth ddwyn i gof ei hoed cyntaf efo'i henaid hoff cytûn.

'Sawl gwaith sydd rhaid deud, dim dêt ydi hi,' medda fi rhwng fy nannedd a 'mol yn troi er waethaf fy holl brotestiadau. Falle y dylwn i fod wedi cymryd fodca bach wedi'r cwbl. 'Reit, dwi'n mynd,' camais i gyfeiriad y drws.

'Ti ddim yn mynd rŵan? Paid â dangos dy fod ti rhy cîn, cyw bach. Gad iddo fo ddisgwyl amdanat ti. Mi fuodd dy Yncl Dilwyn yn disgwyl hanner awr dda amdana i ar ddiwrnod ein priodas.'

Anwybyddais y sylw. 'Wela'i chi'n hwyrach mlaen, 'ta. A

cofiwch eich cerdyn a cofiwch mai i fyny mae'r saeth bach i fod i bwyntio, ocê?'

'Fysa'n well i mi aros efo Iola a Christine heno, dwa? Ma ganddyn nhw *triple* rŵm, dio ddim problem i mi aros efo nhw heno, sdi.'

'Pam felly?' gofynnais yn ddryslyd.

'Rhag ofn, 'de, cyw. '

'Rhag ofn be? Ylwch, os dach chi'n cael trafferth agor y drws heno, cofiwch bo chi angen pwyntio'r saeth bach...'

'Naci siŵr!' Torrodd Anti Eirlys ar fy nhraws. 'Be haru ti?... Rhag ofn...'

Edrychais yn blanc arni. Doedd gen i mo'r syniad cyntaf ynglŷn â beth roedd hi'n hefru.

'Wel, rhag ofn, 'de... Rhag ofn bo chi isio llonydd.'

Mwyaf sydyn, roedd Anti Eirlys wedi datblygu ryw dwits yn ei llygad dde. Roedd hi'n wincio'n wyllt arna i.

'Llonydd i be? Am be dach chi'n fwydro, dwch?'

'Llonydd i ga'l secs 'de, cyw,'

I sŵn Anti Eirlys yn chwerthin o'i hochr hi, trotiais yn y sodlau, oedd hanner seis yn rhy fach i mi, i gyfeiriad y bar lle y gobeithiwn fod Marc, dreifar y bws yn aros amdana i.

PIZZA A PROSECCO

CAMAIS I LAWR grisiau'r bar yn fy sodlau benthyg yn ofalus. Ro'n i ofn am fy mywyd fy mod i am faglu a gwneud ffŵl iawn ohonof i fy hun o flaen pawb, yn enwedig o flaen Marc. Fyddai fo ddim y tro cyntaf i mi wneud peth felly. Paid â bod y nerfus, sgin ti ddim byd i fod yn nerfus amdano fo, ceisiais ddarbwyllo fy hun yn ofer. Dim ond cyfarfod am ddiod oedden ni. Dyna i gyd. Dim byd mwy. Pam felly roedd fy mol i yn un o bili palas? Doeddwn i ddim wedi teimlo mor nerfus â hyn hyd yn oed ar fy nêt gyntaf efo Emyr. Trip i'r sinema oedd hynny. Peidiwch â gofyn i mi pa ffilm welsom ni. Sgin i fawr o gof am y cebáb a'r snog ar y ffordd adra, chwaith.

O, mam bach, meddyliais pan welais i o yn eistedd wrth y bar. Cododd ei orwelion tuag ataf a gwenu. Taswn i wedi rhedeg marathon Llundain fyddai fy nghalon ddim yn curo dim cyflymach. Edrychai mor secsi yn ei grys siec gingam nefi a gwyn a'i *chinos* glas tywyll. Gallwn jyst dychmygu ei gorff cyhyrog yn galed o dan y crys. Gallwn hefyd ddychmygu fy mysedd yn agor y botymau, cyffwrdd ei frest noeth a theimlo gwres ei gorff a byseddu'r blew bach cyrliog oedd ar ei frest. Oedd ganddo fo flew ar ei frest? Mae'n rhaid bod ganddo fo ac yntau mor dywyll. Dadebrais o fy ffantasi. Be haru ti, Nina? Callia wir Dduw, ceryddais fy hun cyn eistedd i lawr wrth ei ochr.

''Nes i ddim nabod chdi am funud bach,' medda fo. 'O'dd

34

raid i mi neud dybl têc. Dwi'n licio'r ffrog. Ti'n edrych yn ffantastig.'

'Diolch. Wedi cael ei benthyg hi ydw i gan Anti Eirlys. Hogan jîns a siwmper ydw i, deud gwir,' byrlymais yn nerfus. Ro'n i hefyd yn cael ychydig o drafferth i godi fy hun ar y stôl uchel yn fy ffrog dynn. 'A dwi'm yn arfer cerdded mewn sodlau chwaith. Bron iawn i mi droi 'nhroed wrth ddod i lawr y grisiau 'na,' medda fi wedyn yn difaru'n syth fy mod i wedi cyfaddef hynny.

Cau dy geg, Nina, jyst cau dy geg, medda fi wrtha fi fy hun. Tydi o ddim isio gwybod hynna siŵr. Be ddeudodd Emyr wrtha i unwaith pan oedd o yn un o'i fŵds? 'Os nad oes gen ti ddim byd gwell i sôn amdano na'r tywydd, yna well i ti beidio deud dim byd.' A dyma fi'n gwneud yn union yr un peth rŵan. Siarad gwag. Parablu gwag yn fy nerfusrwydd.

'Rhaid ti wisgo ffrogia'n amlach felly. Ma'n nhw'n dy siwtio di.'

Roedd o'n syllu arna i o 'nghorun i'm sawdl. Dwi'n siŵr mai edmygedd ro'n i'n ei weld yn ei lygaid.

'Be gymeri di i yfed?'

'Ym… glasiad o Prosecco plis.'

Sylwais fod ganddo fo botel fach a gwydriad o ddŵr pefriog o'i flaen yn barod.

'Dwi angen eich dreifio chi i gyd adra'n saff fory,' meddai wedi 'ngweld i'n clocio'r dŵr. 'Fyddai byth yn yfed a finna'n gweithio diwrnod wedyn.'

'Call iawn,' gwenais yn falch ei fod o'n cymryd ei gyfrifoldebau fel gyrrwr bws o ddifri.

'A bottle of Prosecco please, room number 406,' meddai Marc wrth y barman.

'Potel?' gofynnais yn syn. 'Fedra'i ddim yfed potel o brosecco fy hun siŵr!'

'Gymera'i lasiad i dy helpu di, yli.'

'O'n i'n meddwl nad oeddet ti'n yfed a chditha isio gyrru'r diwrnod wedyn?'

'Wnaiff gwydriad neu ddau o brosecco ddim drwg.'

Ar ôl dau neu dri o brosecco ar stumog wag ro'n i wedi ymlacio'n braf ac roedd y pili palas wedi hen hedfan i ffwrdd. Roedden ni'n dau yn siarad pymtheg yn y dwsin, wel, fi fwy na fo i fod yn fanwl gywir. Ond weles i neb fatha fo am wrando a chymryd diddordeb byw yn rhywun. Yn wahanol iawn i Emyr. Mi roedd y brych hwnnw â'i ben yn ei ffôn rownd rîl neu yn ei fagasîn ceir. Mi holodd am fy ngwaith a dyma fi'n deud wrtho fo mod i'n gweithio fel cymhorthydd dosbarth mewn ysgol gynradd. Disgynnodd ei wep pan glywodd beth oedd wedi digwydd i fy rhieni. Soniais wrtho fy mod i wedi cael fy magu wedyn efo fy Anti Eirlys ac Yncl Dilwyn a'u bod wedi bod yn ffeind iawn efo fi ac wedi fy ngharu fel eu merch eu hunain. Cafodd wybod hanes fy mywyd i gyd bron.

'O'dd gan fy yncl ddwy siop gwerthu carpedi ac ar ôl iddo ymddeol mi werthodd y busnes. Bechod, mi oedd o ac Anti Eirlys wedi bwriadu treulio ymddeoliad Yncl Dilwyn yn teithio'r byd. *Have pension will travel* oedd moto Yncl Dilwyn druan. Mi oedd y ddau wedi bwcio i fynd ar *world cruise* ond aeth o'n sâl ac mi fethon nhw fynd.'

'Trist iawn. Cymaint i edrych ymlaen ato gan y ddau,' cydymdeimlodd yn ddwys.

Edrychais ar fy wats, roedd hi'n tynnu am wyth. Mi o'n i ar lwgu erbyn hyn. Mi roedd 'na oriau ers i mi gael y sosej rôl i ginio. Ro'n i'n dechrau poeni pryd roedden nhw'n stopio gwneud bwyd yn y gwesty. Roedd y pryd nos ym mhris y trip ac er fy mod i'n mwynhau bod yng nghwmni Marc yn fawr o'n i ddim isio colli swper chwaith.

'Ma honna'n wats neis,' meddai gan lygadu fy oriawr.

'Hon? Hen beth ydi hi,' medda fi'n ysgafn.

Gafaelodd yn dyner yn fy ngarddwrn. Craffodd yn fanylach ar fy oriawr aur gwyn, ddiemwnt a saffir.

'Rolex ydi hi?' gofynnodd yn gegrwth ar ôl sylwi ar ei gwneuthuriad. 'Ma honna wedi costio ceiniog a dimau.'

'Presant pen blwydd un ar hugain gan Anti Eirlys ac Yncl Dilwyn.'

'Neis iawn, braf iawn cael Anti ac Yncl sy'n gallu fforddio prynu pethau neis fel'na i ti.'

'Dwi'n lwcus iawn,' medda finnau.

'Wyt,' medda fynta gan wenu. 'Lwcus iawn.'

O, mam bach, bob tro roedd o'n gwenu fel'na arna i ro'n i'n mynd yn groen gŵydd drostaf.

Cododd ei ben gan syllu i fyw fy llygaid. ' Ti ffansi mynd am bryd o fwyd i rywle? Jyst y chdi a fi? Dwi ddim ffansi swper yn f'yma. Waeth i ni fod mewn cantîn hen bobs ddim.'

'Fysa hynny'n neis iawn,' medda finnau wrth fy modd yn gobeithio nad oedd fy mol yn gwneud gormod o sŵn. Roedd hi'n berffaith amlwg fod ganddo ddiddordeb yndda i fel yr oedd gen innau ynddo yntau. Dychmygais y ddau ohonom yn eistedd wrth fwrdd i ddau yng ngolau cannwyll mewn tŷ bwyta bach rhamantaidd.

'Ti'n licio pizza? Ma 'na Pizza Express rownd y gornel.'

Nodiais fy mhen yn wan gan geisio cuddio fy siomedigaeth. Stryffaglais i lawr o'r stôl yn ffrog a sodlau Anti Eirlys.

Dros *pizza margherita* a gwydriad mawr o win, mi fues i'n sôn wrtho am fy mherthynas i ac Emyr.

'O'n i'n meddwl mai fo oedd yr un,' cyfaddefais. Fy nhafod wedi hen lacio erbyn hyn.

'Oedd o'n ffŵl gwirion. Doedd o'n amlwg ddim yn gwerthfawrogi be oedd ganddo fo. Ond ella nad y fo oedd yr un i ti.'

Syllodd Marc arna i a'i lygaid tywyll fel petaen nhw'n treiddio i mewn i fy enaid i. A waeth i mi gyfaddef ddim, mi roedd 'na deimladau pleserus iawn, iawn yn cael eu deffro tu mewn i mi. Teimladau oedd wedi bod mewn trwmgwsg ers llawer gormod o amser.

'Ella dy fod ti'n iawn,' cytunais.

Iesgob, mi ro'n innau'n methu tynnu fy llygaid oddi arno yntau hefyd. Mi fysach chi wedi gallu torri'r tensiwn rhywiol oedd rhyngom ni'n dau efo'r torrwr *pizza* oedd ar y bwrdd o'n blaenau.

Mi roedd o'n cael ei wastraffu yn eistedd ar ei ben ôl yn dreifio bws bob dydd. Dylai fod yn fodel neu'n actor efo'r corff a'r wyneb yna. Galwch fi'n goman, llac fy moesau, llac fy nicer neu beth bynnag, ond tasa fo wedi cynnig i mi fynd i fyny i'w stafell y funud honno fyswn i ddim wedi deud na.

'Sgin ti deulu arall, 'ta, heblaw am dy Anti Eirlys?' holodd gan frathu i mewn i sleisen arall o'r *pizza*. Roedd darn o'r *mozzarella* meddal wedi glynu ar ei wefus dop. Cael a chael oedd hi i mi fedru stopio fy hun rhag llyfu'r caws oddi ar ei wefus.

'Ti'n siŵr mai dim ditectif *undercover* wyt ti?' medda fi yn tynnu ei goes.

'Y? Be ti'n feddwl?' Edrychodd arna i'n ddryslyd.

'Holi wyt ti, 'de. Neu newyddiadurwr, ella. Ma gŵr fy ffrind Haf, sy'n byw yng Nghaerdydd 'ma yn gweithio fel newyddiadurwr efo'r BBC. Asu, ma hwnnw'n holi, 'de.'

'Diddordeb sgin i. Diddordeb ynddot ti. Sori, dwi'n holi gormod, yndw?' Roedd golwg wedi'i frifo ar ei wyneb.

'Na, plis paid ag ymddiheuro.' O'n i'n teimlo'n ofnadwy o gas mod i wedi dweud hynny wedyn. 'Mae'n braf. Jyst ddim wedi arfer ydw i.'

'Dwi jyst isio gwybod bob dim amdanat ti. Dwi'n gwybod bod hyn yn *cliché* ac yn *cheesy* uffernol, 'dan ni ond newydd gyfarfod mwy neu lai, ond dwi'n teimlo fel taswn i yn dy nabod di ers blynyddoedd.'

Mae'n debyg fod y ffaith ei fod o wedi bod yn fy holi fi'n dwll o'r funud yr eisteddais i lawr yn un o'r rhesymau am hynny hefyd.

'Reit, dwi'n cau fy ngheg. Dy dro di i fy holi fi rŵan. Be t'isio wbod?' medda fo gan eistedd yn ôl a phlygu ei freichiau.

Be o'n i rili ar dân eisiau ei wybod oedd, oedd ganddo fo flew ar ei frest neu beidio?

'Sgin ti deulu o gwbl? Chwaer brawd, bwji neu gath?'

Ro'n i ofn gofyn a oedd ganddo fo gariad, partner, gwraig a phlant, rhag ofn i mi gael yr ateb nad o'n i eisiau ei glywed.

'Unig blentyn fel chditha. Dw inna wedi colli fy rhieni hefyd. '

'Mae'n ddrwg gen i. Mae'n anodd, tydi?'

'Uffernol... Canser... Gollais i Mam ac ymhen ychydig fisoedd wedyn aeth fy nhad yn sâl hefyd.'

Sylwais ar y lwmp yn ei wddf ac roedd cryndod yn ei lais. Synhwyrais ei fod o'n ei chael hi'n anodd iawn siarad am y peth o hyd gan ei fod dal yn rhy gignoeth iddo. Llywiais y sgwrs i dir saffach.

'Ers faint wyt ti'n ddreifar bws?'

'O, blynyddoedd. Gyrru loris o'n i am sbel. Ond ges i lond bol, hen joban unig, gorfod cysgu yn y cab a ballu. A dyma fi'n meddwl y bysa dreifio bysys, *coach trips* felly, lot brafiach. Ca'l mynd i lefydd lot fwy diddorol na bod yn styc mewn traffig ar y drafordd. Rŵan dwi'n cael aros mewn hotels neis, cael mynd i lefydd diddorol a bonws arall ydi cyfarfod pobol ddifyr.'

'A *girl on every trip*, ia?'

'Ha! Iawn taswn i ffansi *cougar* sy'n tynnu am ei sefnti!' chwarddodd. 'Yn anffodus, anaml iawn dwi'n cyfarfod rhywun sydd o gwmpas fy oed i ar y tripia yma. Chdi ydi'r eithriad ers erstalwm iawn, iawn.' Syllodd yn ddwfn i'm llygaid.

Llyncais innau fy mhoer. 'A does gen ti neb yn disgwyl amdanat ti adra?'

Dyna fo. Ro'n i wedi ei ofyn o.

'Fel pwy, 'lly?'

Ciledrychais ar ei law chwaith noeth. 'Cariad, partner... gwraig ella?'

Chwarddodd yn braf eto gan roi ei law ar ei galon yr un ffordd. 'Mae'n anodd yn y job yma, mi wyt ti ffwrdd am hydoedd, wythnosau ar y tro weithiau... dim pob merch sy'n dallt ac yn fodlon derbyn hynny. Mae'n anodd cynnal perthynas o bell.'

Syllodd i fyw fy llygaid wrth ddatgan hyn. O'n i'n cael y teimlad ei fod o'n trio ffeindio allan a fyddwn i'n deall ac yn fodlon ymdopi efo cyfnodau hir o absenoldeb.

'Oeddet ti'n deud bod dy nain yn dod o Sbaen. Wyt ti'n gallu siarad Sbaeneg?' gofynnais er mwyn ysgafnhau'r sgwrs ryw fymryn.

'Qué quieres que te diga?'

'Be mae hynna'n ei feddwl?'

'Be wyt ti isio i mi ddeud?'

Ro'n i'n methu'n deg â meddwl. 'Ym...'

'*Eres una mujer muy hermosa,*' medda fo wedyn mewn llais dwfn hynod o rywiol.

'Be mae hynna'n ei feddwl, 'ta?' Fysa fo wedi gallu dweud rhywbeth fel 'fy nhro i ydi rhoi'r bins allan' a fysa fo wedi cael yr un effaith yn union arna i. Mi roedd fy nhu mewn i'n slwj.

'Mi w't ti'n hogan ddel iawn,' medda fo gan edrych i fyw fy llygaid i.

'Ha! Ti'n deud hynna wrth y merched i gyd, dwi'n siŵr,' medda finna'n ôl, braidd yn embaras, deud y gwir. O'n i ddim wedi arfer cael dynion yn fflyrtio mor agored â hyn efo fi. O'n i ddim wedi arfer cael dynion yn fflyrtio efo fi ffwl stop. 'Mae dy Sbaeneg di'n dda iawn.'

'Oedden ni'n arfer treulio pob gwyliau haf yn Malaga efo Nain ac mi oedd hi'n mynnu mod i'n siarad Sbaeneg efo hi. No we oedd hi'n mynd i siarad Saesneg efo'i hŵyr, medda hi.'

'Ydi dy nain di'n dal i fyw'n Sbaen?'

'Na, ma hithau wedi marw erbyn hyn.'

'A be am hobis?' Ro'n i'n ysu i gael gwybod pob dim am Marcello Jones.

'Hobis? Sgin i fawr o hobis a deud y gwir, wel heblaw am un, sgwters.'

'Sgwters?' O'n i'n meddwl fy mod i wedi cam glywed am funud.

'Ia, *mopeds*, felly.'

Mi ges i dipyn o syndod o glywed hyn. Roedd o i'n ei weld yn fwy o ddyn moto-beic yn ei ledr du na rhywun oedd â diléit mewn moped a sgwter.

'Mae gen i Lambretta V200 ac ae gen i Vespa GTS 300,' medda fo wedyn yn falch.

O'n i ddim yn licio gofyn be oedd y gwahaniaeth rhwng moped a moto-beic, eu maint, mae'n debyg. Ond am eiliad, dychmygais y ddau ohonom ni'n gwibio'n wyllt ar gefn moped ar hyd ffyrdd troellog arfordir Amalfi. Dychmygais fy mod i'n cael reid pilion gan afael yn dynn yn ei wast. Y gwynt yn ein gwalltiau, yr haul ar ein hwynebau, fy nghalon yn goferu o hapusrwydd…

'Would you like to see the dessert menu?'

Torrwyd ar draws fy ffantasi gan lais y weinyddes a oedd newydd ddod at ein bwrdd i glirio'n platiau gwag.

Edrychodd y ddau ohonom ar ein gilydd. Roedd hi'n berffaith amlwg mai math arall o 'bwdin' oedd gennom ni mewn golwg y noson honno.

'No, thank you. May we have the bill please?' gofynnodd Marc.

Diflannodd y weinyddes i nôl y bil a'r peiriant talu bach.

'Ga'i hwn,' meddai Marc gan fynd i boced ôl ei *chinos* i estyn am ei waled.

'Paid â bod yn wirion,' protestiais innau. 'Pawb i dalu drosto fo ei hun siŵr iawn.'

'Dwi'n mynnu. O na…' medda fo wedyn a'i wep yn disgyn.

'Be sy?' gofynnais o weld yr olwg boenus arno fo.

'Wnei di ddim coelio hyn. Ond dwi 'di gadael fy waled yn fy stafell. Pen rwd, 'ta be? Sori. Fydda'i ddim chwinciad yn ei nôl hi.' Gwnaeth ystum i godi o'i sedd.

'Paid â bod yn wirion. Dala i siŵr.'

'Fedra i'm gadael i ti neud hynny. Dau funud fydda'i,' protestiodd wedyn.

'Dim ond *pizza* oedd o,' mynnais gan estyn am fy mhwrs o 'mag.

'Ti'n siŵr?' medda fo wedyn gan eistedd i lawr yn ei ôl. 'Dwi mor sori am hyn. Dwi mor embaras. Ond os doi di i fyny efo fi i fy stafell wedyn, mi dala i'n ôl yn syth bin i ti.'

'Sdim brys siŵr. Neith fory'n iawn.'

'Fysa well gen i dalu iti heno. Dwi'n casáu bod arna i bres i rywun. Ella y bysan ni'n gallu ca'l rhyw neitcap bach yr un ffordd. Be ti'n ddeud?'

Codais fy ngolygon o fy mhwrs a syllu ar Marc. Roedd yna fflach ddireidus yn y llygaid tywyll. Ro'n i'n rhyw led amau hefyd ei fod o wedi anghofio ei waled yn gwbl fwriadol er mwyn cael esgus i mi fynd yn ôl efo fo i'w stafell. Powld, 'ta be? meddyliais gan wenu efo fi fy hun. Un drwg oedd Marc Jones.

'Pam lai?' medda fi gan syllu'n ôl i'w ddau lygad tywyll wedi fy mesmereiddio'n llwyr.

Ymhen hir a hwyr cyrhaeddodd y weinyddes fach yn ôl efo'r bil. Roedd y ddau ohonom ni ar binnau. Wrth i mi gadw fy ngherdyn banc yn ôl yn fy mhwrs, diolchodd Marc i mi. Yna cododd oddi wrth y bwrdd, gan sythu ei grys.

'Rŵan, 'ta, be am y neitcap 'na?'

A hithau ond yn tynnu am naw o'r gloch, ymlwybrodd y ddau ohonom ni yn ôl i'r gwesty. Wrth ddisgwyl i'r lifft gyrraedd, estynnodd ei law i mi ac fel tasa fo'r peth mwyaf naturiol yn y byd i'w wneud, derbyniais innau ei law yn llawen.

Yn rhyfedd iawn, ar ôl i ni gyrraedd ei stafell, anghofiwyd y cwbl am y neitcap a'r pres am y *pizza*. Roedd gan y ddau ohonom ni bethau amgenach o lawer i feddwl amdanyn. Ac i'r rai ohonoch chi sydd â diddordeb, oedd, mi roedd ganddo fo flew ar ei frest.

PERTHYNAS PART TEIM

METHU CHDI LOADS, *te quiero* xxx.

Dyna oedd Marc wastad yn ei sgwennu ar y cerdyn bach pan oedd o'n anfon blodau ata i. Roedd *te quiero* yn golygu 'caru chdi' yn Sbaeneg. Roedd o mor rhamantaidd yn y dyddiau cynnar hynny.

'Mm, ma o'n un garw am *gestures* tydi, cyw?' meddai Anti Eirlys pan soniais i ar y ffôn am y blodau crand oedd wedi cael eu hanfon ata i i'r ysgol y diwrnod hwnnw.

Tasach chi wedi gweld wyneb Miss Sara Davies B.Ed pan gyrhaeddon nhw amser paned bora, mi roedd hi'n wyrdd, yn llawn eiddigedd, neu genfigen, dwi ddim yn siŵr iawn pa un. Fysan nhw ddim wedi gallu cyrraedd ar amser gwell a ninnau i gyd yn y staffrwm. A waeth i mi gyfaddef ddim, ro'n i'n teimlo mor smyg.

'Be dach chi'n drio ei ddeud, Anti Eirlys?' Mi roedd beth doedd Anti Eirlys ddim yn ei ddweud yn golygu mwy'n aml iawn na beth oedd yn dod allan o'i phig hi, os dach chi'n deall be sgin i.

'Sawl bwnsiad o flodau wyt ti 'di gael ganddo fo rŵan, dwa?'

'Dwi'm yn cofio. Pam?'

'Ti'n gwybod be ma'n nhw'n ei ddeud am ddyn sy'n rhoi blodau, dwyt? Ma o'n cuddio rwbath, coelia di fi, cyw.'

'Peidiwch â siarad yn wirion!' chwarddais.

'A rhosod coch ti'n eu cael ganddo fo bob tro, 'te.'

'Oes 'na rywbeth o'i le ar rosod coch?'

'Braidd yn *cliché*, ti ddim yn meddwl? Diddychymyg 'lly. Peth rhyfedd na fysa fo wedi ffeindio allan be ydi dy hoff flodau di bellach, 'te.'

'Rhosod ydi fy hoff flodau fi,' atebais innau'n ôl yn amddiffynnol.

Wir i chi, taswn i ddim yn adnabod Anti Eirlys yn well fyswn i wedi dechrau meddwl ei bod hithau'n genfigennus! Dwi'n cofio'n iawn be ddeudodd hi pan soniais i wrthi fod Marc yn symud i mewn i fyw ata i ryw gwta ddeufis ar ôl i ni gyfarfod.

'Ma gin i fwyd sydd wedi bod yn y *freezer* yn hirach nag ydach chi'ch dau wedi bod efo'ch gilydd! Dwyt ti ddim yn meddwl eich bod chi'n rhuthro petha braidd, cyw?'

'Nac ydan, ddim o gwbl. Dan ni'n caru ein gilydd,' medda finnau. ''Dan ni fel tasan ni'n nabod ein gilydd ers erioed. A beth bynnag ma les ei fflat o'n dod i ben yn fuan felly waeth iddo fo symud i mewn ata i ddim. Ma'n gneud sens.'

'Mm, sens i bwy? Ond chdi ŵyr dy bethau. Ddim isio dy weld ti'n cael dy frifo ydw i. Tydi dy drac record di efo dynion ddim y gora nadi, cyw bach?'

'Cha'i ddim fy mrifo,' medda fi'n gadarn a thrio cyfri i ddeg yr un pryd.

'Ti'n siŵr dwyt ti ddim ar y *rebound* ar ôl yr hen 'ogyn arall 'na?' meddai Anti Eirlys wedyn.

'Dwi ddim ar y *rebound*. Sawl gwaith sydd rhaid i mi ddeud wrthych chi? Ma be dwi'n ei deimlo tuag at Marc yn hollol wahanol. Mi wnes i wastraffu gormod o amser o lawer efo'r bwbach Emyr 'na. Dwi ddim yn mynd i neud hynny efo Marc. Dwi rioed wedi bod mor hapus.'

A mi o'n i'n hapus. Doeddwn i ddim yr un hogan ar ôl y

trip hwnnw i Gaerdydd, doedd dim dwywaith am hynny. Ers i mi gyfarfod Marc roedd yna ryw sioncrwydd newydd yn fy ngham a gwên barhaol ar fy wyneb. Theimlais i erioed felly o'r blaen.

'Lle ma o wedi mynd tro 'ma, 'ta?' holodd Anti Eirlys.

'Llydaw.'

'Tydi o byth adra i weld.'

'Job fel'na sydd ganddo fo, 'te.'

'Cyn belled â dy fod ti'n hapus mewn perthynas part teim, cyw bach.'

'Yndw, Anti Eirlys. Berffaith hapus.'

'Dyna chdi, 'ta.'

A mi o'n i'n hapus, wel, ar y cychwyn ella. Fedrwn i ddim cael neb gwell. Roedd o'n glên, yn garedig (rhosod coch yn rheolaidd), yn garwr heb ei ail ac yn lot o sbort. (Er ei fod o'n gadael sedd y tŷ bach i fyny a gadael tywelion gwlyb ar y llawr ar ôl cael cawod, ond ro'n i'n gallu cau fy llygaid i bethau felly). Yr unig beth diflas oedd yn tarfu ar ein perthynas oedd yr absenoldebau hir. Ond fel roedd yr wythnosau a'r misoedd yn mynd yn eu blaenau, llai a llai hapus a bodlon fy myd yr o'n i'n ei deimlo am y sefyllfa. Ro'n i'n dechrau cael llond bol o fod mewn perthynas part teim, chwedl Anti Eirlys. Ro'n i eisiau mwy. Er bod Marc bellach yn rhannu'r un cyfeiriad â fi ac roedd ganddo oriad drws ffrynt ei hun, gallwn gyfri ar un llaw sawl noson roedd o wedi aros efo fi.

Yn aml wrth i mi fwyta swper arall ar fy mhen fy hun neu dreulio nos Wener a nos Sadwrn ar fy mhen fy hun, heb sôn am wastraffu prynhawniau Sadwrn yn Next, neu'n Dunelm, byddwn yn meddwl piti ar y diawl na fysa fo'n dreifo bws ysgol neu fysys i gwmni Arriva.

Oedd o'n ormod i ofyn fy mod i eisiau ei weld o fwy nag ambell i benwythnos, neu noson yma ac acw? Ro'n i'n ysu i wneud pethau mae cyplau mewn perthynas yn eu gwneud efo'i gilydd. Mynd i'r sinema, er enghraifft, neu fynd allan am bryd o fwyd, mynd am dro i lan y môr, gwylio Netflix efo'n gilydd ac ati. Ond wedi dweud hynny ro'n i'n gwybod yn iawn mai fel'na fyddai pethau o'r cychwyn cyntaf. Roedd Marc wedi dweud wrtha i mai dim pob merch fysa'n gallu ymdopi efo'i absenoldebau hir. Roedd o wedi fy rhybuddio i. Roedd o'n cymryd hogan sbesial iawn, medda fo.

Gan fy mod i'n gaeth i dymor ysgol, doedd hynny'n anffodus ddim yn caniatáu i mi gymryd dyddiau i ffwrdd fel roedd yn fy siwtio fi chwaith. Roedd hynny'n golygu nad oeddwn i'n gallu ymuno efo Marc ar ei dripiau. Y siomedigaeth fwyaf oedd y trip Twrci a Thinsel i Gaeredin. O'n i wedi ypsetio'n lân pan ffeindies fy mod i'n methu mynd ar hwnnw. Trip dros y Nadolig a'r Flwyddyn Newydd oedd o. Ar FfesTeim efo Marc o'n i, dwi ddim yn cofio lle oedd o'r adeg hynny... Berlin falla, ynte Amsterdam? Un o'r ddau beth bynnag... Dyma fi'n digwydd ei holi fo am amserlen y trip er mwyn i mi gael gwybod faint o owtffits ac ati yr oedd angen i mi mynd efo fi (ac yn bwysicach na hynny, faint o nicers o'n i eu hangen). Dyma Marc yn digwydd sôn wrth basio nad oedd y trip yn cychwyn yn ôl am adref tan y 5ed o Ionawr.

'Y pumed o Ionawr? Ti'n siŵr?' medda finnau.

'Yndw. Ar y dydd Mercher. Pam?'

'Mae'r ysgol yn ailddechrau ar y pedwerydd.'

Awgrymais y gallwn ddod adref ddiwrnod neu ddau ynghynt ar y trên. Ond am ryw reswm doedd Marc ddim yn rhyw fodlon iawn ar y cynllun hwnnw.

'Be tasa 'na streic trên neu rwbath? Neu'n waeth, be tasa

'na ddim trenau o gwbl oherwydd eira? Ma'n nhw'n cael lot fawr o eira i fyny yn yr Alban 'na, yn enwedig yr amser yna o'r flwyddyn. Poeni ydw i y byddi di'n styc i fyny yna ac yn methu dod adra. Y peth diwetha dwi isio ydi i chdi golli dy job ar fy nghownt i, pwt.'

Wnes i feddwl ar y pryd ella ei bod hi'n bryd i mi chwilio am swydd arall. Efallai nad oedd swydd cymhorthydd yn fy siwtio i bellach. Efallai y dylwn i chwilio am swydd oedd yn llai caeth o ran gwyliau a chael amser i ffwrdd. Ond wedi dweud hynny, pa swydd arall oedd yn cynnig saith wythnos o wyliau yn yr haf? Saith wythnos o fod yng nghwmni Marc ar ei dripiau! Fyswn i ddim yn gallu gwneud hynny mewn unrhyw swydd arall. A beth bynnag, o'n i wrth fy modd yng nghwmni'r hen blant bach. Doedd dim amdani ond derbyn y melys efo'r chwerw.

Er fy mod i'n aml yn teimlo fy mod i'n blasu mwy o'r chwerw na'r melys hefyd gan i mi dreulio diwrnod Dolig yng nghwmni Anti Eirlys a'i ffrind Anwen. (Roedd hi wedi gwella siort orau ar ôl yr eryr). Mi gafodd Marc a finnau ddathliad bach buan y penwythnos cynt. Gawsom ni ginio Dolig efo'r trimins i gyd. Wel, dwy frest cyw iâr gawsom ni mewn gwirionedd, a chyfnewid anrhegion bryd hynny.

Ro'n i wedi bod yn crafu 'mhen ers wythnosau ynglŷn â beth ro'n i'n mynd i gael iddo fo a dyma fi'n cofio'n sydyn ei fod o wedi sôn ei fod eisiau wats newydd. Ro'n i mor falch fod y wats yn plesio. Mi fues i am hydoedd yn trio dewis un, ôl reit falle ei bod hi braidd yn ddrud a finnau wedi talu bron i bum can punt amdani, ond mi roedd o werth bob ceiniog pan welais ei wyneb yn goleuo.

'Ella rhyw ddiwrnod fedra i brynu Rolex i chdi,' medda finnau.

'Ar ôl i dy Anti Eirlys gicio'r bwced, ella? Chdi geith bob dim ar ei hôl hi, 'de.'

'Wel, ia am wn i,' medda finnau. 'Ond fydd hynny ddim am yn hir iawn, iawn eto, gobeithio.'

Diolch i'r drefn, roedd Anti Eirlys cyn iachâd â chneuan. Doedd hi ddim wedi ymweld ag unrhyw ddoctor ers 2014 a'r unig reswm aeth i'w weld o bryd hynny oedd i losgi dafad oddi ar ei chefn. Doedd hi ddim ar unrhyw dabledi chwaith, wel, heblaw am un capsiwl *o cod liver oil* bob dydd 'at ei *joints*', chwedl hithau.

'Ia, gobeithio. Betia i di y bydd hi byw dros ei chant,' meddai Marc wedyn. O'n i ddim yn rhyw hoff iawn o dôn ei lais. Roedd yna ryw chwerwder dieithr ynddo.

'Reit, fy nhro fi rŵan. Lle ma 'mhresant i, 'ta?' medda fi yn newid y pwnc yn o handi. Doeddwn i ddim yn licio meddwl am Anti Eirlys druan dan y dorchan, cant oed neu beidio.

Estynnodd Marc focs bychan o dan y goeden Dolig.

'Dyma chdi,' medda fo gan wenu'r wên honno oedd yn fy ngwneud i'n slwtsh.

O, mam bach, doedd o erioed wedi prynu be o'n i'n feddwl ei fod o wedi'i brynu i mi? Llyncais fy mhoer.

'Wel, agora fo, 'ta,' medda fo wedyn gan wenu'n swil.

Rhwygais y papur lapio'n wyllt.

'Fues i am hydoedd yn trio dewis,' medda fo wedyn.

Fedrwn i ddim aros i roi'r fodrwy ar fy mys. Er mae'n debyg y byddai'n rhaid iddi gael ei haddasu er mwyn iddi ffitio'n iawn. Hen fysedd bach tew sydd gen i gwaetha'r modd. Rhywbeth y gwnes i ei etifeddu gan fy nhad. 'Doedd gan hwnnw ddim bysedd chwarae piano chwaith,' dwi'n cofio Anti Eirlys yn ei ddatgan yn chwerw uwch fy mhen i pan o'n i'n cael trafferth chwarae *scale F sharp minor*.

Roedd fy nghalon yn drybowndian wrth i mi agor y bocs bach. Caeais fy llygaid. Ro'n i isio i'r foment yma bara am byth. Sut fodrwy oedd tu mewn? dyfalais. Un aur? Aur gwyn? Neu efallai platinwm? Pa siâp diemwnt oedd arni hi? Neu ella mai carreg arall roedd o wedi'i dewis. Emrallt efallai? Carreg mis fy mhen blwydd i. Neu ruddem, neu saffir hyd yn oed? O, mam bach, doeddwn i wirioneddol ddim yn credu fod hyn yn digwydd. Dyma beth oedd corwynt o garwriaeth yng nghwir ystyr y gair. Ers ein cyfarfyddiad cyntaf yng Nghaerdydd roedd ein perthynas wedi carlamu ymlaen. Roedd Marc wedi symud i mewn i fyw ata i'n barod, y cam naturiol nesaf oedd i'r ddau ohonom ni briodi. Be fyddai ymateb y gennod yn yr ysgol? Be fyddai ymateb Anti Eirlys? O'n i ddim yn hen ferch a oedd yn hel llwch ar yr hen silff yna bellach.

Agorais fy llygaid. Edrychais ar gynnwys y bocs. Edrychais eto. Syllais yn fud ar y clustlysau bach *cubic zircona* siâp calon.

'Ti'n licio nhw? Wnes i feddwl amdanat ti'n syth pan welais i nhw'n ffenest H Samuel.'

'Ma'n nhw'n... Ma'n nhw'n... lyfli,' medda finnau yn trio fy ngorau glas i gadw'r siom o'm llais.

'Wel, gwisga nhw, 'ta ac mi wna innau wisgo fy wats,' medda fo wedyn.

A dyna be wnaethon ni. Yn anffodus, erbyn i ni orffen bwyta'r pwdin Dolig roedd fy nghlustiau i'n cosi'n ddiawledig. Rhywbeth yr o'n i wedi ei etifeddu gan fy fam oedd croen hynod o sensitif. Doedd hithau chwaith, dwi'n cofio Anti Eirlys yn sôn, ddim yn gallu gwisgo unrhyw fath o emwaith oni bai ei fod o'n aur neu arian pur.

Er i ni siarad yn ddyddiol ar FfesTeim dros yr ŵyl, doedd o ddim cweit yr un peth â'i gael o yma yn y cnawd efo fi. Yn hytrach na threulio nos Calan yn ei gwmni, treuliais y noson yng nghwmni Jools Holland a'i *Hootenanny*. Mi ges i wahoddiad i fynd draw i dŷ Heulwen am swper, ond gwrthod yn glên wnes i, mi fyswn i wedi bod rêl gwsberan yng nghanol y cyplau eraill, byswn. Mi ges i wahoddiad hefyd i barti blynyddol Nos Calan Anti Eirlys. Gwrthod y cynnig ar ei ben wnes i i hwnnw. Allwn i feddwl am ddim byd gwaeth na phobol yn eu saithdegau yn partïo fel tasan nhw yn eu harddegau.

'Ma o i weld yn gwneud mwy o'r tripiau tramor yma'n ddiweddar, tydi? Tydi o ddim wedi bod yn dreifio'n tripiau ni ers sbel,' meddai Anti Eirlys wedyn. Rhwng y tripiau i'r marchnadoedd Dolig, tripiau siopa i Cheshire Oaks, Lerpwl, Manceinion, tripiau i weld sioeau cerdd heb sôn am y penwythnosau i Efrog, Llundain a Chaerdydd neu le bynnag, doedd Anti Eirlys mwy na Marc, byth adref.

'Ma'r cwmni'n mynnu ei roi o i lawr ar gyfer y tripiau *long haul*, fel ma o'n eu galw nhw, am ei fod o'n sengl a ddim wedi priodi ac efo teulu,' esboniais innau.

'Wel, tydi hynny ddim yn iawn, nac ydi? Ma peth felly'n gwbl annheg. *Descrimination* ydi peth fel'na. Mi ddyla fo gwyno,' tantrodd Anti Eirlys fel tasa hi'n ddynes undeb fawr.

'Mae o wedi trio cael gair efo nhw, medda fo.'

'Ddim y fo fydd yn dreifio ni i Sgotland felly?'

Roedd Anti Eirlys ac Anwen wedi bwcio i fynd am drip pedwar diwrnod i Loch Lomond. Ac mi roedd yna hen edrych ymlaen. Atyniad mawr y trip arbennig hwn oedd bod arwr mawr y ddwy yn eu hanrhydeddu nhw â'i bresenoldeb ar y daith. Neb llai na'r lejend bytholwyrdd ei hun, Bryn Fôn. Pan ddeallodd ei nymbar wan ffans fod Cambrian Coaches yn trefnu trip i Loch Lomond yn ei gwmni, roedd y ddwy bron iawn wedi gwlychu eu hunain ac wedi bwcio lle ar y trip yn syth bin.

'Ia, dwi'n meddwl, mi wnaeth o sôn mai y fo sy'n gyrru'r trip hwnnw.'

'O, reit dda. Biti felly na fysat ti'n gallu dod efo ni, cyw.'

'Ia, 'te,' gwenais yn wan.

Fyswn i wedi bod wrth fy modd yn cael bod yng nghwmni Marc a mwynhau atyniadau Gretna Green, Loch Lomond ac ati. Ond ar y llaw arall, allwn i ddim meddwl am ddim byd gwaeth na bws ffiffti tŵ sîtyr yn llawn merched oed pensiwn a mwy yn gwirioni'n lân am ddyn oedd bron yn sefnti.

GWRANDA, NINA...

FYDDA I'N DAL ddim yn licio sôn rhyw lawer ynglŷn â be ddigwyddodd ar y trip hwnnw. Mae o'n dal yn fy ypsetio fi. Anti Eirlys druan.

Y sandalau newydd brynodd hi'n unswydd ar gyfer y trip gafodd fai. Ddeudais i wrthi pan ddangosodd hi nhw i mi cyn iddi fynd fy mod i'n meddwl eu bod nhw'n rhy uchel iddi. Dwi'n gallu ei gweld hi rŵan yn paredio'n ansad ynddyn nhw, yn union fel ebol newydd gael ei eni. Dwi'n cofio deud, 'Gwyliwch chi droi eich troed yn rheina.'

'Choeliai i!' wfftiodd hithau gan edmygu'r slingbacs hufen efo'u sawdl tair modfedd. 'Y diwrnod pan fyddai i'n methu gwisgo sodlau ydi'r diwrnod y bydda i'n methu rhoi un droed o flaen y llall, cyw bach.'

'Beryg na fyddwch chi'n medru rhoi un droed o flaen y llall ar ôl gwisgo'r rheina,' medda finnau wedyn.

Wyddwn i ddim mor broffwydol oedd fy ngeiriau i ar y pryd.

Roedd Marc yn bendant yn meddwl mai damwain anffodus oedd hi. Welodd o'r cwbl, dach chi'n gweld. Mi roedd o'n digwydd dod lawr y grisiau y tu ôl iddi ac felly'n llygad dyst i be ddigwyddodd, a Bryn Fôn druan. Cymaint oedd hwnnw wedi ypsetio ar ôl y trawma iddo fethu canu am fisoedd wedyn. Damwain oedd canlyniad y cwest hefyd.

Yn y gwesty yn Loch Lomond oedden nhw. Roedd Anwen a hithau newydd gael ryw *pre* drinc bach yn eu stafell ac ar eu ffordd i lawr i gael swper. Yn ôl Anwen, fel roedd y ddwy'n dod allan o'u hystafell dyma nhw'n digwydd sbotio Bryn yn dod allan o'i stafell yntau. Galwodd Anti Eirlys, wedi'i chynhyrfu'n lân, arno i aros amdanyn nhw fel bod y tri'n gallu cydgerdded i swper. Fel y gŵr bonheddig ag ydi o, ufuddhaodd Bryn yn syth. Yn ystod eu sgwrs cafodd wahoddiad gan Anti Eirlys i eistedd ar yr un bwrdd â'r ddwy a derbyniodd Bryn y cynnig clên.

Cymaint roedd Anti Eirlys wedi gwirioni bod ei harwr wedi cytuno fel nad oedd hi, yn ôl Marc, yn canolbwyntio ar ei cherddediad. Yn anffodus, baglodd yn ei slingbacs gan ddisgyn yn bendramwnwgl i lawr y deg gris llydan a thorri ei gwddw.

Yn naturiol ddigon cafodd pawb oedd ar y trip andros o sioc ac roedden nhw i gyd wedi ypsetio'n ofnadwy. Dwi'n cofio hyd heddiw'r alwad ffôn ges i gan Marc.

'Haia, fi sy 'ma,' medda fo mewn llais difrifol. A medda fo wedyn, 'Gwranda, Nina...'

A mi o'n i'n gwybod o'r eiliad y clywais i'r ddau air hyll yna, 'Gwranda, Nina' nad o'n i'n mynd i licio o gwbl be oedd gan Marc i ddweud wrtha i. Y peth cyntaf ddaeth i'm meddwl i oedd ei fod o isio gorffen efo fi. Ond wnes i erioed feddwl y bydda fo'n dweud bod fy annwyl fodryb siriol allblyg, a oedd mwy fel mam i fi na modryb mewn gwirionedd, wedi marw. O'n i'n methu credu'r peth. Un munud roedd hi'n sgwrsio'n braf efo'i harwr a'r funud nesaf roedd hi'n farw gelain.

Waeth i mi gyfaddef ddim, do'n i ddim mewn lle da am fisoedd ar ôl iddi ein gadael ni. Doedd y ffaith fod Marc ddim adra ryw lawer yn helpu pethau chwaith. Fuodd o ar sawl trip dramor. Roedd y cwmni, medda fo, yn mynnu ei fod yn gyrru ar y tripiau hynny. Mi wnaeth o hyd yn oed fethu dod i'r cynhebrwng am ei fod ar drip chwe diwrnod i Bournemouth. Mi driodd y creadur ei orau i gael dreifar arall i fynd yn ei le, ond doedd neb ar gael yn anffodus. Mi oedd o'n teimlo'n ofnadwy am fethu bod yno'n gefn i mi, medda fo.

Yn ogystal â thrio ymdopi efo fy ngalar ro'n i hefyd yn llawn fy helbul yn trio sortio stad Anti Eirlys. O'n i'n gwybod nad oedd hi'n brin o geiniog neu ddwy, wrth gwrs, ond wyddwn i ddim faint yn union o geiniogau oedd ganddi chwaith. Ges i dipyn o sioc a dweud y lleiaf pan ddois i ddeall am yr holl gyfrifon banc a'r portffolios di-ri. Yn llythrennol mi oedd hi werth ei miloedd.

'Gei di brynu'r Rolex 'na i mi rŵan,' medda Marc pan ffoniais i o ar ôl bod yn gweld twrna Anti Eirlys. Roedd o yn Eastbourne neu rwla ar y pryd. Er fy mod i'n gwybod mai tynnu coes oedd o, doeddwn i ddim yn gwerthfawrogi'r sylw o gwbl. I fod yn onest efo chi o'n i'n meddwl ei fod o braidd yn ddi-chwaeth ac yn ansensitif. Ddylwn i fod wedi dweud hynny wrtho fo, ond wnes i ddim.

Newydd gael gwybod o'n i mai fi oedd wedi etifeddu'r cwbl lot. (Hynny ydi, heblaw am Anwen, ei chyfaill mynwesol oedd i gael ei chasgliad o CDs a recordiau Bryn Fôn, y job lot, o ddyddiau Crysbas a Sobin i Bryn Fôn a'r band bach a mawr). A bellach, doedd dim angen i mi boeni am bres am weddill fy mywyd.

Fel y soniais yn gynharach, wnes i ddim ymdopi'n rhyw dda iawn ar ôl ei cholli hi. Am fisoedd lawer mi fues i'n ddigon isel. Ond yna mi ddigwyddodd rhywbeth a newidiodd hynny'n llwyr.

'Gwranda, Nina, dwi wedi bod yn meddwl,' meddai Marc wrtha i ar un o'r nosweithiau prin hynny pan oedd o adref.

Suddodd fy nghalon o glywed yr hen air hyll 'na unwaith

eto. Ond am unwaith yn fy mywyd, mi roedd o'n golygu newyddion da o lawenydd mawr.

'Dwi'n gwybod nad ydi'r misoedd diwetha yma ers i ti golli dy anti wedi bod yn rhai hawdd i ti,' medda fo gan fynd yn ei flaen. 'A dwi'n gwybod nad ydw innau wedi bod o gwmpas ryw lawer i fod yn gefn i ti chwaith. Ond ma pethau'n mynd i newid o hyn ymlaen, ti'n dallt? Dwi isio gofyn rhywbeth i ti... dwi wedi bod isio gofyn i ti ers sbel, deud y gwir.'

Cyn i mi gael cyfle i lyncu 'mhoer bron, mi roedd Marc ar un ben-glin o 'mlaen i. Estynnodd focs bychan o boced ôl ei jîns.

Ychydig o wythnosau ar ôl i mi dderbyn probet ar gyfer stad Anti Eirlys gofynnodd Marc i mi ei briodi.

FYDD WHITBY'N GRÊT

MODRWY AUR EFO un diemwnt bach syml oedd hi. Taswn i wedi cael carreg fach o lan y môr efo lastig band yn ei dal hi'n sownd yn ei lle, dwi'n siŵr y byswn i wedi gwirioni cymaint.

Yn union fel fy modrwy ddyweddïo, syml a bach oedd y briodas hefyd. Gan nad oedd yna gymaint â hynny ers i Anti Eirlys ein gadael ni, fysa fo ddim wedi bod yn weddus, meddai Marc, i ni gael ryw sbloets fawr a mi ro'n i'n cytuno efo fo. A ninnau heb deulu rhyngom ni'n dau a dim ond llond dwrn o ffrindiau agos, pwy fysan ni wedi eu gwahodd p'un bynnag? Chwech oedd yn y briodas. Marc, fi, ac yn absenoldeb Anti Eirlys, mi wnes i wahodd Anwen i'w chynrychioli hi, fel tae, Heulwen a Linda ac roedd Linda yn un o'r tystion. (Gan fy mod i'n methu'n lân â dewis rhwng y ddwy, mi benderfynom ni dynnu enw o het i weld pwy fysa'n cael y fraint, a Linda enillodd y dydd) a Lloyd, cyd-weithiwr Marc o Cambrian Coaches oedd y tyst arall.

'Wel, 'ma hi, y *blushing* breid, myn uffar i! Ti'n edrych yn styning, Misus Jôs,' meddai hwnnw gan fy nghofleidio'n gynnes ar ôl i ni gyrraedd y tŷ bwyta lle roedden ni wedi trefnu i gael pryd o fwyd ar ôl y seremoni. 'Cambrian Coaches yn *dating agency*, pwy 'sa'n meddwl! Er, rhaid i mi ddeud, bron iawn i mi ddagu ar fy *tagliatelle* pan wnaeth Marc ofyn i mi fod yn was priodas iddo fo. A deud y gwir wrthot ti, 'dan ni ddim yn nabod ein gilydd mor dda â hynny. Ond *that's me, yesterday's rent boy, today's rent a best man!*'

Cesyn oedd Lloyd. Fuodd o'n gweithio fel *tour rep* yn Sbaen am flynyddoedd cyn iddo fo a'i bartner, Roger, oedd yn gweithio fel drag cwîn, wahanu. Dwi'n cofio Anti Eirlys yn sôn wrtha i (mi roedd hi ac Anwen wedi dod yn dipyn o lawiau efo fo ar ôl treulio cymaint o amser efo'i gilydd ar yr holl dripiau roedd hi ac Anwen yn mynd arnyn nhw) ei fod o wedi dal Roger, un noson, mewn *clinch* efo Marlene D'Amour, drag cwîn arall, yn y stafell wisgo. Ben bore wedyn, gadawodd Lloyd Magaluf a Roger gan ddychwelyd yn ei ôl bag and bagej i Gymru fach. Bu ddigon ffodus i gael gwaith yn syth bin fel tywysydd efo Cambrian Coaches. Yn digwydd bod roedd un o'r tywyswyr eraill wedi gorfod gadael yn ddisymwth gan ei bod yn anffodus yn sâl bws ar bob trip bron, waeth faint o dabledi Kwells a Joy-Rides roedd hi'n eu llyncu. Dwi'n siŵr fod y ffaith bod perchennog y cwmni yn gefnder iddo wedi bod yn fantais hefyd.

O'n i'n synnu ei glywed o'n deud nad oedd o a Marc yn ffrindiau mor agos â hynny. Yr argraff ges i gan Marc oedd bod y ddau'n fêts mawr.

'Lle dach chi'n mynd i fwrw'ch swildod, 'ta?' gofynnodd gan godi'i eiliau'n awgrymog.

'Whitby,' medda finnau.

'Lle?' gofynnodd yn methu credu ei glustiau.

'Whitby,' medda finnau wedyn.

'O'n i'n meddwl mai fan'o ddeudest di y tro cynta. Whitby? Pam uffar dach chi'n mynd i Whitby? Dach chi'n mynd ar eich *honeymoon* i Whitby?' Ebychodd wedyn mewn anghrediniaeth lwyr, fel taswn i newydd ddeud ein bod ni'n mynd ar ein mis mêl i Waunfawr.

Marc oedd yn cîn i ni fynd i fanno a rhaid i mi gyfaddef i mi gael dipyn o sioc a syndod pan awgrymodd y lle. Roedd o wedi bod yno droeon o'r blaen efo'r tripiau bws wrth gwrs. Roedd o hefyd yn gwybod yn iawn pryd i awgrymu'r lle hwnnw. Rhyw nos Iau oedd hi, dwi'n cofio'n iawn a ninnau newydd gael sesiwn garu go egnïol cyn iddo gychwyn yn blygeiniol y bore wedyn ar ryw drip neu'i gilydd.

'Neith yn iawn,' ddeudodd o, gan gusanu a chwythu bob yn ail ar fy nipl dde i.

Rhaid i mi gyfaddef, ddim rhyw le 'neith yn iawn' o'n i wedi'i ddychmygu ar gyfer ein mis mêl. A finnau wedi derbyn fy etifeddiaeth o stad Anti Eirlys doedd dim rhaid i ni orfod bodloni ar ryw le 'neith yn iawn'.

'Mae 'na siopau bach neis yna i chdi. Ma 'na *open top bus tours* ar gael, mi basith hwnnw bnawn i ni, Ac yn digwydd bod, pan ydan ni yna, ma 'na rali sgwters ymlaen hefyd,' medda fo wedyn cyn i mi gael cyfle i ddweud dim.

Fedrwn i ddim llai na meddwl ei fod o fwy fel *busman's holiday* yng ngwir ystyr y gair yn hytrach na mis mêl i ni'n dau.

'Ond o'n i wedi meddwl y bysa hi'n braf mynd dramor i rwla. I'r haul ella?' awgrymais.

Mi ro'n i wrth gwrs wedi dychmygu treulio ein mis mêl yn gorweddian ar wely haul ar draeth pellennig yn sipian coctels egsotig, ddim yn eistedd mewn bws *open top* yn rhynnu wrth edrych ar ogoniannau Whitby ac yn yfed te tramp.

'Dwi ddim yn côpio'n dda mewn gwres, sdi. Dwi'n diodda'n ofnadwy efo *prickly heat* heb sôn am y pryfaid. Gas gen i bryfaid,' medda fo wedyn.

Dyna'r tro cyntaf i mi glywed o'n sôn ei fod o'n dioddef o *prickly heat* a'i atgasedd tuag at bryfaid. Ond o'n i'n mwynhau ein sbel o *post coital* ormod i fynd i ddal pen rheswm efo fo. Ond mi roedd hynny cyn iddo ollwng grenâd arall.

Yn mynd i chwythu ar fy nipl chwith i oedd o, yn mwynhau gweld honno'n mynd yn galed fel Licris Allsorts, pan ddeudodd o, 'A does gen i ddim pasbort.'

'Be ti'n feddwl sgin ti'm pasbort?' medda finnau gan symud a chodi ar fy eistedd fel mellten. 'Mae'n rhaid bod gen i ti basbort a chditha'n gyrru bysys dramor, siŵr.'

'Wel, oes ma gen i basport wrth gwrs. Ond mae o ar fin rhedeg allan. Dwi angen gwneud cais am un arall a fedra'i ddim risgio y daw yr un newydd yn ei ôl mewn pryd. Yli, siomedigaeth fysa hynny.' Dechreuodd gusanu fy ngwddw'n dyner. 'Mi fydd Whitby'n grêt, sdi. Dwi'n gwybod am hotel bach neis yno a dwi'n siŵr y cawn ni *deal* dda ganddyn nhw gan fy mod i wedi bod yno sawl tro efo Cambrian Coaches.'

Roedd hi'n amlwg fod Marc wedi rhoi ei fryd ar Whitby. Mi driais innau gysuro fy hun waeth i ni fod yn Whitby fwy na Waikki ddim. Beth oedd yn bwysig oedd bod Marc a finnau'n priodi. Byddai digon o gyfleoedd i ni fynd dramor eto, meddyliais. Llefydd fel ynysoedd y Caribî neu'r Seychelles, efallai. Wyddoch chi nad oedden ni wedi cael cyfle i fynd i ffwrdd efo'n gilydd ers i ni ddechrau canlyn? Er nad oedd hynny'n fanwl gywir chwaith, gan ein bod ni wedi bod ffwrdd am ddau benwythnos, un i Efrog a llall i'r Cotswolds. Ond roedd hynny yng nghwmni dros hanner cant o deithwyr eraill. Roedd y gwyliau yma yn mynd i fod yn wahanol. Dim ond ni'n dau oedd yn mynd a gyrru car roedd Marc y tro hwn, dim rhyw horwth mawr o fws ffiffti tŵ sîtyr.

'Doedden ni ddim isio mynd yn rhy bell. Mae 'na lot o bethau difyr i'w gwneud a'u gweld yn Whitby. Mi fydd yn grêt,' atebais Lloyd yn or joli. Dwi ddim yn siŵr pwy o'n i'n drio ei argyhoeddi fwyaf, fo 'ta fi.

'Ar dy *honeymoon* wyt ti'n mynd, cariad bach, ddim ar drip blynyddol Merched y Wawr! Bygria'r blydi *sighteeing!*' chwarddodd Lloyd gan roi winc ddireidus i mi. 'Jyst gwylia di i Dracula gael gafael arnat ti yna.'

'Dracula?' gofynnais innau'n ddryslyd.

'Yn Whitby gafodd Bram Stoker ei ysbrydoliaeth am Dracula, meddan nhw. Mi symudodd Dracula i fyw yno ar ôl symud o Transylvania, yn ôl y stori,' meddai Lloyd gan gymryd sip o'i siampên.

Dwi'n cofio Anti Eirlys yn sôn wrtha i unwaith bod Lloyd yn llawn gwybodaeth hollol ddibwys. Roedd o wedi'u diddanu nhw ym mar rhyw westy un noson efo gwybodaeth ddi-nod o bob math. Mi soniodd Anti Eirlys am rai ohonyn nhw a dwi'n dal i gofio un neu ddau. Yn ôl Lloyd, doedd gan Alfred Hitchcock ddim botwm bol. A hon oedd yr orau, a pheidiwch â gofyn sut oedd o'n gwybod hyn, ond yn ôl Lloyd, mae orgasm mochyn yn para am hanner awr!

'Be dach chi'ch dau yn ei drafod yn f'yma?' holodd Marc oedd newydd ddod draw atom ni. Gafaelodd rownd fy ysgwydd a 'nhynnu ato'n berchnogol.

'Deud o'n i wrth Mrs Jôs i wylio ei hun rhag Dracula yn yr hen Whitby 'na. Whitby? Pwy ffwc sy'n mynd ar eu *honeymon* i Whitby? Tydi o ddim y lle mwya romantic, nacdi?' meddai Lloyd wedyn.

'Dim y lle sy'n bwysig ond y person,' gwenodd Marc gan syllu i fyw fy llygaid a fy nghusanu'n galed ar fy ngwefusau.

'Ow, ych! Get a rŵm, y lyfars budur! Fedrwch chi ddim aros tan heno?' meddai Lloyd gan wneud rhyw sioe fawr o ffugio ffieidd-dod. 'Wel, joiwch beth bynnag, y tacla horni.'

'Ma siŵr y gweli di fwy o Marc rŵan, Lloyd,' medda fi gan afael o amgylch wast fy ngŵr newydd yn dynn.

'Be ti'n feddwl?' gofynnodd Lloyd gan gymryd sip arall o'i siampên.

'A fynta yn ŵr priod, fydd o ddim ar y rota tripiau tramor mor aml,' esboniais gan wenu'n gariadus ar fy ngŵr.

'Y?' gofynnodd Lloyd yn ddryslyd.

'Dewch,' meddai Marc gan dorri ar draws. 'Mae'n amser i ni fynd drwodd am y bwyd. Ma'r rheolwraig yn trio cael ein sylw ni, dwi'n meddwl,'

A chyn i mi gael cyfle i holi Lloyd ymhellach arweiniodd Marc fi drwodd i'r ystafell fwyta.

Gawsom ni amser go lew yn Whitby, er iddi lawio dros y pedwar diwrnod fuon ni'n aros yno. Fuon ni ar y bws *hop on hop off*, ond doedd 'na fawr o *hop off* chwaith a hithau'n stido bwrw. Roedd yn well gan y rhan fwyaf o'r teithwyr, gan gynnwys Marc a finnau, gysgodi'n glyd dan do ar y llawr isaf. Welsom ni gip ar yr abaty'n sydyn, roedd hi'n chwythu a bwrw gormod i ni fynd i lawr o'r bws. Fuon ni mewn rhyw le bach oedd yn cynhyrchu crochenwaith un prynhawn. O'n i wedi edrych ymlaen i fynd yno ac wedi bwcio sesiwn i ni rhwng dau a thri o'r gloch. O'n i'n gweld ni'n dau yn byseddu'r clai tu ôl i i droell crochenydd yn union fel Demi Moore a Patrick Swayze yn y ffilm *Ghost* honno. Ond ar ôl cyrraedd dyma sylweddoli, er mawr siomedigaeth i ni, mai dim ond cael paentio'r crochenwaith roedd rhywun yn cael ei wneud. Fel y gallwch chi ei ddychmygu, doedd hynny ddim hanner cystal hwyl ag ymdrybaeddu'n dwylo mewn clai meddal gwlyb. Ma'r dylluan fach y gwnes i ei phaentio yn y bin erstalwm.

Oedden ni wedi bwriadu aros yno am wythnos ond mi gafodd Marc decst, medda fo, yn gofyn tybed fysa fo'n gallu gneud shifft dreifar arall ar drip i Lundain. Roedd y dreifar oedd i fod yn gyrru wedi cael ei ruthro i'r ysbyty efo'i bendics wedi byrstio.

Yn naturiol ddigon ro'n i braidd yn siomedig ein bod ni wedi gorfod dod adref yn fuan. Ond a dweud y gwir wrthoch chi, efo'r tywydd fel oedd hi, waeth i ni fod adref ddim. O'n i'n deall hefyd nad oedd Marc yn licio gadael Cambrian Coaches yn y cach a fynta'n trio ei orau i blesio am ei fod ar fin cychwyn trafodaethau busnes mawr efo nhw.

Wedi mynd am bryd o fwyd i'r harbwr yn Whitby oedden ni, a finnau ar fin rhoi'r ail fforciad o halibwt i mewn i fy ngheg, pan soniodd Marc am y newidiadau mawr oedd ar droed yn y cwmni.

'Pa fath o newidiadau?' holais innau.

'Wel, ddeuda i fel hyn wrthot ti, dwi ddim yn gweld y bydda i'n gallu gweithio yna wedyn os bydd hyn yn digwydd.'

'Pam? Oes yna ryw têcofyr mawr ar fin digwydd?

'Ddim cweit. Ond mae 'na gyfle i ni'r gweithwyr brynu i mewn i'r cwmni. Ac mae hynny'n golygu y byddan nhw wedyn yn dod yn un o reolwyr gyfarwyddwyr y cwmni.'

'Ma hynny'n beth da, ydi ddim?' medda finnau yn methu deall pam roedd Marc mor anfodlon ynglŷn â'r cynllun arfaethedig.

'Wel, yndi os oes gen ti'r pres i brynu siêrs yn y cwmni. Glywes i fod Steven yn bwriadu gwneud, ond digon hawdd i hwnnw, tydi, a'i dad o'n rheolwr banc. Meddylia, mi fydd y sinach bach hwnnw yn fos arna i wedyn.'

Un o gyd-weithwyr Marc oedd Steven. Er nad o'n i erioed

wedi ei gyfarfod roedd hi'n amlwg o'r ffordd roedd Marc wastad yn cwyno amdano nad oedd 'na fawr o dda rhwng y ddau.

'Pam na wnei di brynu siârs hefyd, 'ta?'

'Hy,' wfftiodd Marc gan dorri ei borc *chop* yn sarrug. 'Efo be, dwa? Cerrig lan môr?'

'Ma gin i bres, does?'

Cododd Marc ei ben o'i jopan.

'Pres Anti Eirlys. Mae gynnon ni bres,' prysurais i gywiro fy hun.

'Na,' ysgydwodd Marc ei ben yn bendant. 'No we fedra i ofyn i i ti iwsio pres Anti Eirlys fel'na.'

'Pam ddim?' medda finnau. 'A beth bynnag, ddim fy mhres i ydi o. Ein pres ni.'

'Mae o'n ormod o bres o lawer.'

'Faint ydan ni'n sôn amdano?'

'Ryw gan mil a hanner? Anghofia fo, olréit. Mae o'n ormod o bres. Lot gormod.'

'Waeth i ni iwsio ychydig o'r pres ddim yn lle ei fod o'n ista yn gneud dim byd ond ennill llog yn y banc yna. Be arall mae o'n da? A fedra i ddim meddwl am well defnydd i'r pres. Mi oedd Anti Eirlys yn caru mynd ar dripiau efo Cambrian Coaches, toedd? Fysa hi wrth ei bodd meddwl ein bod ni'n buddsoddi yn y cwmni.'

'Wel, ma hynny'n ddigon gwir, a tydi o ddim llawer o bres rili, nacdi, pan ti'n meddwl faint o bres sydd gen ti yn yr acownts banc 'na,' medda Marc wedyn yn dechrau rhyw gynhesu i'r syniad.

'Tydi cyfleodd fel hyn ddim yn dod yn aml, sdi,' pwysais innau. 'A no we mae'r Steven yna yn mynd i ga'l ei lordio hi drostot ti. Hei, mi fyddai'n wraig i *Managing Director* wedyn,' gwenais gan feddwl beth fyddai gan Miss Sara Davies, B.Ed i ddweud am hynny, tybed?

'Mm,' meddai Marc gan gymryd sip o'i win.

'Be sy?'

I feddwl ei fod o newydd gael cynnig can mil a hanner o bunnau er mwyn buddsoddi yn ei yrfa doedd o ddim yn edrych fel ei fod ar ben ei ddigon o bell ffordd.

'Dim byd. Anghofia fo.'

Roedd hi'n amlwg fod 'na rywbeth ar ei feddwl o hyd.

'Fi sy'n bod yn wirion.'

'Na, deud,' pwysais innau.

'Na, anghofia fo.'

'Marc, deuda be sydd ar dy feddwl di.'

Rhoddodd ochenaid ddofn cyn dweud, 'Dwi'm yn siŵr iawn sut i ddeud hyn...'

'Deud be?' llyncais fy mhoer yn galed. Doedd gen i ddim syniad i ba gyfeiriad roedd y sgwrs yma'n mynd.

'Fi sy'n orsensitif, dwi'n gwybod hynny. Ond sgin i ddim help sut dwi'n teimlo.'

'A sut wyt ti'n teimlo, felly?'

'Dwi'n gwybod bod hyn yn swnio'n stiwpid. Ond dwi'n teimlo fel ryw *kept man* braidd,' mwmiodd gan roi ei ben i lawr mewn embaras.

'Be?' ebychais. 'Be ti'n feddwl, *kept man?*' gofynnais wedyn yn ddryslyd.

'Plis paid â 'nghamddeall i, dwi'n uffernol o ddiolchgar i ti am gynnig y pres. Ond mae gan ddyn ei falchder, sdi. Ar ddiwedd y dydd, o dy gyfri banc di fydd y pres 'na wedi dod. Ddim o fy nghyfri i.'

Doeddwn i erioed wedi ystyried ei fod o'n teimlo mor gryf am y peth.

'Fysa hi'n haws taswn i'n trosglwyddo'r pres i dy gyfri di gynta, 'ta? Ac i chditha wedyn drosglwyddo'r pres i'r cwmni?' awgrymais.

Cododd ei olygon ac edrych i fyw fy llygaid. 'Wel, ma hynny'n opsiwn ella.'

'Fasat ti'n teimlo'n well tasan ni'n gneud hynny, 'ta?'

'Byswn, dwi'n meddwl. Sori, Nina. Ma'n beth stiwpid, dwi'n gwybod. Uffar o beth ydi balchder.'

'Dyna wnawn ni felly.' Estynnais fy llaw ar draws y bwrdd a gafael yn dynn yn ei law.

'Dyna pam y bysa joint acownt yn handi, sdi. Ond ti'n gwybod be arall fydd hyn yn ei olygu?' Roedd gan Marc wên letach na un fi ar ei wyneb bellach.

'Na, be?' gofynnais.

'Dim mwy o dripiau tramor. Mi fydda i'n mynnu fel rhan o'r *deal* mod i ond yn gwneud tripiau diwrnod. Dim mwy o benwythnosau ac wythnosau i ffwrdd oddi cartra i mi.'

Ar ôl i ni gyrraedd nôl i'r gwesty, estynnais fy iPad a throsglwyddo can mil a hanner i gyfri Marc. Ar yr un pryd agorwyd joint acownt yn enw ni'n dau gan gau'r cyfri oedd yn fy enw i yn unig. Addawodd Marc y byddai yntau'n cau ei gyfri yntau a throsglwyddo'r swm oedd yn y cyfri hwnnw i'r cyfri joint munud y byddai'n gallu sortio ei *log in*. Am ryw reswm, medda fo, roedd o wedi bod yn cael trafferth logio i mewn ar-lein. Roedd yn bwriadu cysylltu â'i fanc i sortio'r mater y bore canlynol. Ond gallai pethau felly aros, roedd gennym ni bethau rheitiach o lawer i'w gwneud y noson honno a ninnau ar ein mis mêl.

HIR YW BOB YMAROS

A R ÔL I Marc fynd i Lundain welais i mohono fo wedyn am bron i bythefnos. Aeth o'n syth o'r joban honno ar drip deg diwrnod i'r Alban i yrru yn lle dreifar arall oedd wedi cael *gastroenteritis*.

Doedd o ddim yn licio o gwbl pan ddeudais i wrtho fo, 'Iesgob, mi ydach chi'n griw afiach. Ma 'na wastad rywun yn sâl ac mi wyt tithau wedyn yn gorfod gweithio yn eu lle nhw.'

'Ma'n rhaid i mi, does,' medda fo'n ôl yn siort. '*Show willing* a ballu a finnau'n prynu i mewn i'r cwmni. O'n i'n meddwl y basat ti'n dallt.'

'Ond be am y peth *tachograph* 'na?' medda fi wedyn. Y teclyn oedd yn nodi oriau cyflymder, pellter ac oriau'r gyrwyr oedd hwnnw. 'Does 'na ddim peryg i ti fynd dros dy oriau, dwa? Pryd oedd y tro diwetha i ti gael diwrnod i ffwrdd?'

'Paid â dechrau busnesu mewn pethau dwyt ti ddim yn eu dallt, ocê?' medda fo gan godi ei lais.

'Poeni amdanat ti ydw i, 'de, yn gorweithio fel hyn...'

Ro'n i wedi styrbio braidd o'i glywed o'n codi ei lais arna i.

'Mae'n rhaid i mi fynd. Siarad efo chdi eto.'

Ac mi oedd o wedi mynd. Mi oedd o wedi rhoi'r ffôn i lawr. Jyst fel'na. Dim ta-ta, dim caru chdi. Dim.

Chlywais i ddim ganddo fo wedyn am rai dyddiau. Pan o'n i'n trio ei ffonio roedd o'n mynd yn syth i'r peiriant ateb. Anfonais sawl tecst hefyd. Mi atebodd hwnnw yn y diwedd yn dweud nad oedd y signal ffôn yn rhy wych yn yr ucheldir ac y byddai o'n ffonio'n fuan. O'n i'n poeni mod i wedi'i bechu fo am ryw reswm. Cysurais fy hun ei fod o dan lot fawr o straen ar y funud ac yntau ynghanol trafodaethau yn negydu i fod yn gyfranddaliwr yn Cambrian Coches. (Swnio'n dda, doedd?)

Byddai pethau'n siŵr o newid pan fyddai Marc yn berchen ar ran o'r cwmni. Byddai'n dod adref bob nos. Dim mwy o ddyddiau ac wythnosau i ffwrdd ar y tro. Roedd goleuni ym mhen draw'r twnnel.

Ond do'n i ddim yn gwybod ei hanner hi.

Wellodd pethau ar ôl i Marc brynu siâr yn y cwmni?

Roedd o'n fwy absennol na chynt.

'Dros dro ydi o, mi wellith pethau, pwt,' medda fo yn pacio'i gês ar gyfer trip dramor eto fyth. Roedd o wedi cael adnewyddu ei basport yn rhyfeddol o gyflym chwarae teg. 'Mae'n rhaid i mi ddangos i'r dreifars eraill mod i'n un ohonyn nhw, does?'

'Ond ddeudaist di na fysa 'na fwy o dripiau tramor. Y bysa chdi ond yn gneud teithiau dyddiol. Oeddet ti am neud hynny'n un o amodau'r cytundeb, meddat ti.'

'Tydi pethau ddim mor hawdd â hynny, sdi. Ti wedi gweld fy *charger* ffôn fi'n rhwla?' holodd wrth iddo daflu pentwr o dronsiau i mewn i'w gês.

'Argol, am faint ti'n mynd?' gofynnais yn amneidio i gyfeiriad yr holl dronsiau.

'Rhag ofn, 'de.'

'Rhag ofn be?'

'Does 'na ddim byd gwaeth na rhedeg allan o dronsiau,' meddai fo a rhoi winc awgrymog i mi.

'Pryd ti'n ôl? Fyddi di'n ôl ar gyfer pen blwydd Heulwen, byddi?'

'Pryd ma hynny, dwa?

'Nos Sadwrn yr ail.

'Byddaf, tad. Fydda i'n ôl ganol pnawn. Paid â phoeni,' medda fo gan roi cusan gysurlon ar fy moch.

Roedd Heulwen wedi trefnu bod chwech ohonom ni'n mynd allan am bryd o fwyd i ddathlu ei phen blwydd. Hi a'i gŵr Steff, Linda ac Ian, Marc a finnau. Doedd gwahoddiad fel hyn ddim yn dod i ni'n aml, felly ro'n i'n edrych ymlaen at gael mynd. Ro'n i wedi bwcio i gael gwneud fy ngwallt ar y bore Sadwrn, rhyw *cut and finish* bach ac wedi tretio fy hun i dop newydd. Roedd Marc wedi tecstio i ddwed os byddai'r lonydd yn glir ei fod o'n gobeithio cyrraedd adref tua tri o'r gloch.

Ro'n i wedi gwneud yn siŵr fod 'na ddigon o ddŵr poeth er mwyn iddo fo gael bath (a finnau efo fo). Mae'n siŵr fod ei gefn a'i gyhyrau bach o'n stiff ar ôl eistedd yn sedd y gyrrwr yna am gymaint o oriau. Ro'n i hefyd wedi prynu dwy botel o'i hoff gwrw fel trît bach ac wedi gwneud yn siŵr fod yna baced o Crunchy Nut Corn Flakes, ei hoff serial, yn tŷ. Roedd Linda ac Ian yn garedig iawn wedi cynnig lifft i ni'n dau ac yn ein nôl ni am hanner awr wedi chwech. Digon o amser felly i Marc gael cyfle i ymlacio a chael ei wynt ato.

Ro'n i ar bigau'r drain yn ei ddisgwyl o adref.

Pan gyrhaeddodd tri o'r gloch doeddwn ni ddim yn or-bryderus. Ond erbyn pump o'r gloch ro'n i fel iâr ar dranau. Lle ar wyneb y ddaear oedd o? Mae'n rhaid bod rhywbeth wedi digwydd iddo fo. Wn i ddim sawl gwaith wnes i drio ffonio ei fobeil ond roedd o'n mynd yn syth i'r peiriant ateb bob tro. Anfonais i sawl tecst, a gadael sawl neges ffôn. Triais i ffonio swyddfa Cambrian Coaches, rhag ofn eu bod nhw wedi clywed rhywbeth neu'n gwybod rhywbeth. Ond, wrth gwrs, a hithau'n brynhawn dydd Sadwrn roedd y swyddfa wedi hen gau. Sylweddolais nad oedd gen i ddim unrhyw ffordd o gysylltu efo'i gyflogwr. Erbyn hanner awr wedi pump doeddwn i ddim yn gwybod beth i'w wneud efo fi fy hun. Sgroliais ar Ffesbwc yn wyllt rhag ofn fod rhywun wedi postio neges yn dweud bod yna ddamwain bws. Ro'n i'n grediniol ei fod wedi cael damwain. Pam arall fysa fo ddim yn ateb ei ffôn?

Doedd Marc ddim ar Ffesbwc. 'Hen lol wirion.' Dyna oedd ei farn o ynglŷn â'r cyfrwng. 'Dwi'm isio i bawb wybod fy musnes i,' ddeudodd o wedyn pan holais i pan nad oedd ganddo fo gyfri fel sydd gan y byd a'i nain erbyn hyn.

O'n i ddim yn gwybod beth i'w wneud nac at bwy i droi. Daliais i sgrolio gan ddal fy ngwynt. Yn sydyn dyma fi'n cael brenwef. O'n i bron yn bendant bod Lloyd ar Ffesbwc, gallwn anfon cais ffrind ato ac anfon neges yn holi a oedd o'n gwybod beth oedd wedi digwydd. Efallai ei fod o ar y trip hefyd. O'n i ddim chwinciad yn cael hyd iddo ar Ffesbwc a dyma fi'n anfon cais ffrind ato fo.

Er mawr ryddhad, mi dderbyniodd fy nghais yn syth bin. Mi es ati wedyn i sgwennu neges Messenger iddo.

'Helo 'na, sori i dy styrbio di, ond poeni am Marc ydw i.'

O'n i'n gweld ei fod wedi gweld y neges ac yn teipio neges yn ôl i mi, chwarae teg. Does 'na ddim byd gwaeth, na mwy rŵd, yn fy meddwl i, nag anfon neges at rywun ac mi welwch chi eu bod nhw wedi'i darllen ond tydyn nhw ddim yn eich ateb chi'n ôl.

'Haia del, sut wyt ti? Dwi ychydig bach yn conffiwsd am dy neges di. Dwi'm yn gwybod dim be ydi hanes Marc, sori,' medda fo.

Roedd hi'n amlwg felly nad oedd Lloyd ar y trip. Anfonais neges arall ato fo.

'Tydi o o byth wedi dod adre o'r trip i Bruges. Mi oedd o i fod i gyrraedd tua 3pm pnawn 'ma. Dwi'n poeni bod 'na ddamwain wedi bod. Ti'm 'di clywed dim byd, naddo?' sgwennais wedyn.

Teipiodd Lloyd yn ôl yn syth. 'Pam fyswn i wedi clywed rhywbeth, del?'

'Ti'n gweithio efo Marc, dwyt,' teipiais innau.

'Ddim bellach, na.'

'Be ti'n feddwl?' teipies yn ôl yn ddryslyd. Oedd Lloyd wedi gadael Cambrian Coches ac wedi cael joban arall?

Sain hir gan Lloyd. Er ro'n i'n gweld ei fod wedi darllen fy neges. Roedd hi'n teimlo fel oes cyn iddo ddechrau teipio unwaith eto. Darllenais ei neges.

'Ti ddim yn gwybod? Tydi o ddim 'di deud wrthat ti?'

Teipiais innau yn ôl yn wyllt, 'Deud be wrtha fi?'

Saib hir arall. Un hyd yn oed yn hirach y tro hwn. O'n i ddim yn credu be wnes i ei ddarllen.

'Don't shoot the Messenger, 'de. Ond tydi o ddim yn gweithio i Cambrian Coaches bellach.'

'Be? Paid â malu!' Sgwennais yn ôl yn wyllt.

O'n i'n gwybod bod Lloyd yn dipyn o dynnwr coes, ond o'n i ddim yn sylweddoli i ba raddau chwaith. Mae'n rhaid mai tynnu 'nghoes i oedd o. Camddealltwriaeth oedd hyn i gyd. Wedi cael ei ddal mewn traffig oedd Marc. Dim byd mwy. Tua ochrau Birmingham mae'n siŵr. Roedd wastad dagfeydd traffig yn yr ardal honno. Mae'n siŵr fod batri ei ffôn yn fflat. Dyna oedd o mae'n siŵr. Dyna pam doedd o ddim wedi cysylltu. Fi oedd yn gorymateb. Gwneud môr a mynydd o bethau. Unrhyw funud rŵan byddai Marc yn cerdded drwy'r drws ffrynt yna a gwên fawr lydan ar ei wyneb, yn ôl ei arfer, a finnau wedyn yn teimlo yn hollol embaras am fy mod i wedi cysylltu efo Lloyd.

Roedd o'n teipio eto. Damia! Roedd o wedi stopio. Pam ei fod wedi stopio teipio? Roedd hyn mor rhwystredig. Roedd pob eiliad yn syllu ar sgrin fy ffôn yn disgwyl gweld y dotiau bach 'na, arwydd ei fod yn teipio, yn teimlo fel awr. O'r diwedd dechreuodd aildeipio. Ond pan ddarllenais ei neges, mi fyswn i'n hawdd, yr eiliad honno, wedi gallu ei saethu o. O'n i ddim yn credu be o'n i'n ei ddarllen.

'Dwi'n deud y gwir, babs. Ddim ers misoedd. Nath o orfod gadael. Gafodd o'r sac. ☹.'

Disgynnodd y ffôn o fy llaw ar lawr teils y gegin. Craciodd y sgrin yn ddarnau mân.

LLE WYT TI?

Bîîîp! Bîîîp!

Sŵn canu corn mawr car tu allan.

Cachu hwch. Heulwen a Linda a'u gwŷr. Be o'n i'n mynd i ddweud wrthyn nhw?

Canodd cloch y drws ffrynt. Chwythais fy nhrwyn a sychais fy nagrau cyn agor y drws a chymryd anadl fawr.

'Dewch yn eich blaena, 'ta. Dach chi'n barod?' gofynnodd Heulwen yn joli, yn ôl ei harfer. Edrychodd arna i o 'nghorun i'm sawdl yn fy jîns blêr a 'nghrys chwys oedd wedi gweld dyddiau gwell, heb sôn am yr ôl crio mawr ar fy ngwep.

'Ym... Tydi Marc byth wedi cyrraedd adra... Rhedeg yn hwyr... Traffig. Wedi cael ei ddal,' medda fi gan feddwl am yr esgus cyntaf ddaeth i fy mhen i.

'O bechod. Dim ots. Fedri di ddal i ddŵad, medri? Geith o ddal i fyny efo ni wedyn. Dos i newid yn sydyn. Arhoswn ni amdanat ti. Mi ydan ni braidd yn gynnar. Ti'n gwybod fel ma Linds.'

'Ym... wel... y peth ydi,.. ym...dwi'm yn teimlo cant y cant. Gin i feigren ers diwedd pnawn deud gwir. Gorweddian ar y soffa o'n i rŵan. Ma'n rhaid fy mod i wedi syrthio i gysgu. O'n i wedi bwriadu tecstio. Sori. Dach chi'n meindio os dwi ddim yn dŵad?'

Rhyfedd fel o'n i'n gallu rhaffu celwyddau fel tasa fo'n wirionedd. Rhywbeth ro'n i wedi'i ddysgu gan Marc mae'n rhaid.

'Ma dy lygaid di'n edrych yn glwyfus,' meddai Heulwen wedyn yn amlwg wedi sylwi ar fy llygaid gwaetgoch ar ôl yr holl grio. 'Hen dro ond dyna fo. Swatia di. Gobeithio byddi di'n teimlo'n well yn fuan. Hwyl rŵan, 'ta.' Diflannodd Heulwen yn ôl i mewn i'r car.

Sefais innau fel delw yn y drws gan godi fy llaw a rhyw lun o hanner gwên ar fy wyneb wrth i Heulwen a'r criw yrru i ffwrdd yn hapus a bodlon eu byd. Ychydig a wydden nhw fod fy myd i'r pnawn hwnnw wedi'i chwalu'n deilchion. Ychydig roedden nhw'n ei ddallt fy mod i wedi bod yn byw celwydd ers dwn i ddim pa bryd.

Triais ffonio mobeil Marc eto. Gadewais neges arall. Roedd cynnwys y neges y tro hwn tipyn gwahanol i'r dwsinau ro'n i wedi'u gadael ynghynt.

'Marc, plis ateb y ffôn 'ma. Dwi'n gwybod dy fod ti wedi cael y sac o Cambrian Coaches. Lle wyt ti? Ffonia fi.'

Ond ro'n i'n gwybod ym mêr fy esgyrn na fysa fo'n ffonio. Anfonais neges arall at Lloyd ar Ffesbwc.

'Helo 'na, tybed oes modd i mi ofyn ffafr fawr i ti? Oes modd i ni gyfarfod am baned fory rhyw ben? Dwi angen siarad efo chdi. Diolch.'

Wn i ddim p'un ai oedd hynny oherwydd natur chwilfrydig Lloyd, neu doedd ganddo fo ddim byd gwell i'w wneud ar bnawn Sul glawog, ond cytunodd i fy nghyfarfod i yng nghaffi'r ganolfan arddio leol am ddau o'r gloch. O'n i jyst yn gobeithio y byddai Lloyd yn gallu taflu ychydig o oleuni ar ddiflaniad Marc a be andros oedd yn mynd ymlaen.

Yna tarodd fi fel gordd. Be oedd wedi digwydd i'r can mil a hanner ro'n i wedi'i roi iddo fo? Y can mil a hanner ar gyfer buddsoddi yn Cambrian Coaches? Gwawriodd arna i nad o'n i'n wraig i *Managing Director* cwmni bysys. Do'n i ddim hyd yn oed yn wraig i ddreifar bws. Gwraig i bwy o'n i felly? Gwraig i gelwyddgi a thwyllwr yn amlwg.

Chysgais i'r un winc y noson honno. Wnaeth fy mhen i ddim stopio troi. Doedd y peth ddim yn gwneud unrhyw fath o synnwyr. Pam fysa Marc wedi dweud celwyddau wrtha i? Mae'n rhaid bod yna esboniad syml. Mae'n rhaid bod yna, cysurais fy hun. Taswn i ond yn cael gafael arno mi fysa fo wedyn yn gallu esbonio popeth i mi. Ac mi fysan ni'n dau yn chwerthin am hyn i gyd ymhen sbel. Camddealltwriaeth. Dyna i gyd oedd o. Mae'n rhaid mai dyna be oedd o. Ond eto... ond eto...

DEUD CLWYDDA O'DD O

Y PNAWN CANLYNOL roedd Lloyd yn disgwyl amdana i yn y caffi. Os ydach chi erioed wedi gwylio'r rhaglen deledu honno am gŵn, *Dogs Behaving (Very) Badly*, efo'r hyfforddwr cŵn Graeme Hall, wel, efaill coll Lloyd ydi Graeme. Mae Lloyd yntau hefyd yn hoff iawn o wisgo *brogues* brown, jîns glas tywyll wedi'u troi i fyny, gwasgod a chrafat wedi'i glymu o gwmpas ei wddf.

Mae siŵr eich bod chi'n methu deall pam mod i'n gwylio'r ffasiwn raglen a finnau ddim hyd yn oed yn berchen ci nac yn bwriadu cael un chwaith (gormod o waith o lawer heb sôn am y blew ym mhob man. Dwi'n cofio Bobi, Jack Russell Anti Eirlys, roedd hwnnw'n ddihareb am golli ei flew). Ond ar ôl gwylio Graeme yn mynd drwy'i bethau, dwi wedi cael sawl tip defnyddiol ar sut i wella ymddygiad ambell blentyn yn fy nosbarth.

Roedd pot mawr o de o'i flaen, dwy gwpan a dwy sgon. Un bob un ro'n i'n tybio.

'Dwi wedi bod mor hy ag ordro i ni, babs, ti ddim yn meindio, na? Ma sgons f'yma *to die for*. *I'll be mother*, ia?' medda fo gan dollti paned yr un i ni.

Do'n i ddim wedi gallu bwyta dim byd ers amser cinio'r diwrnod cynt. Doedd fy mol ddim wedi stopio troi. Prin ro'n i wedi gallu brwsio fy nannedd gan fod hynny'n ddigon i godi cyfog gwag arna i. A hithau wedi dau o'r gloch ro'n i ar fy nghythlwng ac yn gwerthfawrogi'r sgon oedd o 'mlaen.

'Llefrith?' gofynnodd Lloyd wedyn.

'Joch bach plis... Dim siwgr, diolch,' medda fi'n wyllt wrth weld Lloyd ar fin rhoi un o'r *sachets* siwgr yna yn fy nhe.

'Fyddi di angen mwy na dwy lwyaid o *Tate and Lyle* i ddod dros y sioc o be sgin i ddeud wrthot ti, del,' medda fo gan gario yn ei flaen i agor a thywallt *sachet* bach arall i fy nhe cyn ei droi gydag arddeliad.

Yna difrifolodd a dweud, 'Wyt ti wirioneddol yn deud wrtha i nad oeddet ti'n gwybod bod Marc wedi cael y sac?'

Ysgydwais fy mhen. 'Nag oeddwn. Wir i ti.'

'Blydi hel.'

'Ddeudodd o wrtha i ei fod o'n mynd i Bruges ac mi fuodd o yn Llundain cyn hynny ac mae o wedi bod yn cyfrio sawl dreifar yn ddiweddar sydd wedi bod yn sâl. Fuodd o yn yr Alban am fod 'na ddeifar efo *gastroenteritis*.'

Tro Lloyd oedd hi rŵan i ysgwyd ei ben. 'Deud clwydda o'dd o, yr aur.'

Llyncais fy mhoer cyn deud, 'Ddeudodd o wrtha i ei fod o wedi buddsoddi yn Cambrian Coaches. Ei fod o rŵan yn un o'r *managing directors*. Mi rois i bres iddo fo. Pres iddo fo fod yn *shareholder* yn y cwmni.'

'Paid â ffwcing malu!' ebychodd Lloyd yn gegrwth. 'Sciws my Ffrensh, del. Faint roist ti iddo fo?' medda fo wedyn.

'Can mil a hanner.'

'Faint?!' Sylwodd Lloyd ddim ar yr hufen na'r jam oedd yn dripian lawr ei law.

'Can mil a hanner,' medda fi eto.

'O'n i'n meddwl mai dyna faint ddeudaist ti.'

'Ddeudodd o wrtha i fod 'na gyfla i bawb oedd yn gweithio i'r cwmni i fuddsoddi ynddo fo a dod yn *shareholder* a ballu... dyna ddeudodd o.'

'Nina bach,' torrodd Lloyd ar fy nhraws. 'Mi gafodd Marc y sac yn fuan iawn ar ôl i chi briodi.'

'Be? Cymaint yn ôl â hynny?' sibrydais mewn anghrediniaeth lwyr. Mae'n dda fy mod i'n eistedd, neu mi fysa 'nghoesau i wedi rhoi oddi tanaf. Roedd fy archwaeth wedi diflannu unwaith eto. 'Ond fedrith o ddim. Odd o'n mynd i'w waith bob dydd. O'dd o'n mynd i ffwrdd...'

'O'dd o'n mynd i ffwrdd i rwla i ti, ond ddim efo Cambrian Coches, ma hynny'n saff.'

'Pam gafodd o'r sac, 'ta?' Llyncais fy mhoer yn galed.

'Oedd o jyst ddim yn troi i fyny i'w waith,' esboniodd Lloyd. 'Gadael y cwmni i lawr funud ola. Deud ei fod o'n methu dy adael di.'

'Methu 'ngadael i? Pam?'

'Am dy fod ti'n diodda efo dy nerfau,' medda fo.

'Be?'

Mi oedd be o'n i'n ei glywed yn mynd o ddrwg i waeth.

'Ddeudodd o dy fod ti dan law doctor ers i ti golli dy Anti Eirlys ac yn diodda'n ofnadwy efo dy nerfau ac iselder mawr.'

'Ond tydi hynny ddim yn wir! Do, fues i'n isel, ond ddim digon drwg i fod dan law unrhyw ddoctor chwaith.'

'Dyna ddeudodd o. Wir i ti. Fyswn i ddim yn deud celwydd, Nina bach. Mi oedd y cwmni'n trio gneud *allowances* drosto fo ond hyn a hyn fedrith rywun ei neud. A pan tydi dy ddreifar bws di jyst ddim yn troi fyny bora'r trip a ffiffti tŵ o basynjers yn disgwyl cael mynd am owting neu holidê, a dim modd ca'l gafal ar y dreifar, be ti'n neud?'

'Pam na fysan nhw wedi ffonio'r tŷ?'

'Oedd o wedi rhoi *strict warning* i bawb yn yr offis i beidio â ffonio'r tŷ rhag ofn dy styrbio di.'

O'n i'n teimlo'n sâl. Doedd gen i ddim syniad.

'Be dwi 'di neud, Lloyd?' medda fi'n dawel.

'Priodi celwyddgi o'r radd flaena, ma arna i ofn, Nina bach. O'n i'n methu dallt ar y pryd pam ei fod o wedi gofyn i mi fod yn *best man* iddo. Oeddan ni ond wedi bod ar ryw ddau neu dri o dripiau efo'n gilydd, os hynny. O'n i prin yn nabod y boi.'

Fel nad oeddwn inna'n amlwg. Gwthiais fy mhlat efo'r sgon arni i ffwrdd.

'Mae'n amlwg doedd gan y ffycar ddim ffrindiau o gwbl, nagoedd? Paid ag ypsetio dy hun, yr aur bach,' medda Lloyd wedyn wrth weld y dagrau'n powlio lawr fy moch. 'Ddim y chdi fydd y gynta na'r ddiwetha i rwbath fel hyn ddigwydd iddi.' Pasiodd hances startlsyd wen o boced ei wasgod i mi.

Chwythais fy nhrwyn yn swnllyd. Sut fues i mor ddall? Sut fues i mor ddiniwed? O'n i yn ei drystio fo. Doedd gen i ddim rheswm i beidio yn fy meddwl bach i. Pam oedd o wedi gwneud hyn? O'n i'n meddwl ein bod ni'n caru ei gilydd. O'n i yn ei garu fo'n bendant. Ond o'n i ddim mor siŵr bellach os oedd o yn fy ngharu i. O'n i ddim mor siŵr pwy o'n i wedi'i briodi chwaith.

FY MHRES I YDI DY BRES DI

A R ÔL CYRRAEDD nôl adra'r pnawn hwnnw rhuthrais i fyny grisiau i'r ystafell wely. Chwilio ro'n i am unrhyw fath o gliw i ddiflaniad Marc. Agorais ei wardrob led y pen a phob un o'r droriau. O chwilio a chwalu'n fanylach sylwais fod ei ddillad gorau i gyd wedi mynd. Yn grysau, topiau, jîns, trowsusau ac ati. Dim ond rhyw hen bethau oedd ar ôl. Dillad roedd Anti Eirlys yn arfer eu galw yn ddillad chwarae pan o'n i'n hogan fach. Dillad mae rhywun ond yn eu gwisgo o gwmpas y tŷ. Dillad cyfforddus mae rhywun yn eu gwisgo efo slipers. Jîns a *hoodie* ran amlaf. Y dillad yma roedd Marc wedi eu gadael. Hen grysau T efo twll pry ynddynt a jîns oedd wedi hen ffedio. Heb anghofio hanner dwsin o hen dronsiau oedd wedi breuo yn y gysêt. Dim rhyfedd fod y bastyn (esgusodwch yr iaith) wedi pacio ei dronsiau gorau i gyd, doedd ganddo fo ddim unrhyw fwriad o ddod yn ei ôl, nag oedd?

Cyn i ni fynd ar ein mis mêl i Whitby, mi dalais i am lwyth o ddillad newydd iddo fo. A doedden nhw ddim yn ddillad rhad o bell ffordd. Roedd Marc yn un am ei labeli. Roedd y treinyrs brynodd o (neu brynais i yn hytrach) dros gan punt yn bell. Mi roedd o ar y pryd, medda fo, wedi colli ei gerdyn banc. Ofynnodd o tasa fo'n cael benthyg fy ngherdyn banc i i dalu am y dillad, gyda'r addewid y bydda fo'n talu'n ôl yn syth i mi ar ôl iddo gael cerdyn newydd. Gadwodd o at ei air? Wrth gwrs wnaeth o ddim.

Pan brynodd o iPad ar y we roedd o wedi gadael ei waled, medda fo, ym mhoced ei siaced yn ei waith.

'Cofia mod i isio talu nôl i chdi am yr iPad,' medda fo.

O'n i yn cofio ond buan iawn y gwnaeth o anghofio. Wnes i ei atgoffa fo unwaith, mi wnaeth ei ymateb o fy synnu i braidd.

'Pam ti'n gorfod edliw am y peth fel hyn, Nina? Mae'n hyll braidd. Ddim wedi cael cyfle i fynd i'r banc dwi, 'de. Tydw i ar y lôn 'na o fora gwyn tan nos. Pryd dwi'n cael cyfle i fynd i'r banc? Fyswn i'n sgwennu siec i ti rŵan ond sgin i ddim llyfr siec, dwi byth wedi cael un newydd ganddyn nhw. Mi wna'i banc transffyr i chdi os ydi o yn dy boeni di gymaint â hynny. A be ydi'r *big deal* beth bynnag? 'Dan ni ar fin priodi, fy mhres i ydi dy bres di a *vice versa*.'

Ond doedd hynny ddim cweit yn wir chwaith. Ei bres o oedd ei bres o, a fy mhres i oedd ein pres ni.

Peth rhyfedd, ond dwi'n cofio fo'n deud wrtha i ar ein dêt gyntaf yn y lle *pizza* yna, sy'n teimlo fel canrif yn ôl bellach, ei fod o'n casáu bod arno fo bres i rywun. Buan iawn newidiodd o ei gân.

Yn sydyn, cofiais am y sgwters. Y Lambretta V200 a'r Vespa GTS 300. Rhuthrais allan o'r tŷ i gyfeiriad y garej. Teyrnas Marc oedd y garej. Yn y fan honno roedd o'n cadw ei geriach i gyd. Ei focs tŵls, injan torri gwair ac yn bwysicach ei ddau drysor mawr, y sgwters. Ges i ychydig o drafferth i ddatgloi'r drws, roedd yn stiff braidd a finnau heb arfer. Mi gymerodd hi hefyd sawl ymgais i mi lwyddo i godi'r drws trwm *up and over* i fyny. Roedd gen i ofn i'r sglyfaeth ddod i lawr ar fy mhen. Dyna le fyswn i wedyn yn llyg ar y llawr yn anymwybodol a neb i ddod yno i fy achub.

Doedden nhw ddim yno. Doedd dim golwg o'r ddau sgwter.

O'n i'n gwybod i sicrwydd wedyn fod Marc wedi mynd a doedd ganddo ddim unrhyw fwriad yn y byd o ddod yn ei ôl. Mae'n rhaid ei fod o wedi'u gwerthu nhw. Doedd o ddim wedi mynd â'r ddau efo fo, doedd bosib? Crafais fy mhen yn trio meddwl pryd roedd o wedi cael cyfle i ymadael â'r ddau. Pryd oedd Marc adref a finnau ddim? Fel arall rownd yr oedd hi'r rhan fwyaf o'r amser. Cofiais yn sydyn fy mod i wedi mynd i barti pen-blwydd saith deg Anwen, doeddwn i ddim eisiau mynd, ond ro'n i'n teimlo bod rhaid i mi ddangos fy wyneb, ran Anti Eirlys. Mi gafodd Marc wahoddiad hefyd, ond gwrthod ar ei ben wnaeth o.

'I be ddo'i? Dwi'n nabod dim ar y ddynas,' dyna oedd ei eiriau fo.

Mi oedd hynny ddigon gwir felly wnes i ddim llawr o ffys am y peth ar y pryd. Mi fyddai wedi bod yn braf cael ei gwmni wrth gwrs, ond dyna fo. Meddyliais ar y pryd hefyd y byddai'n braf iddo fo gael aros adref, ymlacio a rhoi ei draed i fyny am newid. Peth prin ar y gorau. O'n i ddim wedi dychmygu y bydda fo wedi manteisio ar fy absenoldeb i werthu ei hen sgwters yn fy nghefn rhag ofn i mi amau unrhyw beth!

Doedd gen i ddim syniad i ble roedd o wedi mynd. Nac at bwy chwaith. Oedd ganddo fo ddynes arall? Mi ddeudais i wrtho fo un waith yn hanner cellwair, *a girl on every trip*, ia?' Be tasa hynny'n wir? I le oedd o'n mynd pan oedd o'n dweud wrtha i ei fod o'n Bruges, yr Alban neu le bynnag?

Roedd gen i ofn tsiecio'r cyfri banc. Ro'n i'n teimlo'n llythrennol sâl pan wnes i fagu digon o blwc yn y diwedd i logio mewn i'r cyfri ar y we. A phan welais i'r balans o'n i'n teimlo fel chwydu. Yn lle o gwmpas 68 mil o bunnoedd, ar y sgrin roedd y swm pitw o £87.54. O leiaf doedd o ddim wedi fy ngadael i yn y coch, na chwaith wedi cael ei hen fachau budur ar y buddsoddiadau, a oedd yn dal, diolch byth, yn fy enw i yn unig.

Ond sylwais hefyd nad oedd yna unrhyw arian wedi cael ei dalu i mewn o gyfri banc Marc. Yn amlwg roedd y cyfri hwnnw yn dal yn fyw ac yn iach (yn iach iawn, fyswn i yn ei ddeud) er iddo ddweud wrtha i ar ein mis mêl ei fod am gau a throsglwyddo'r arian yn y cyfri hwnnw i'n joint acownt newydd. Mi gymerais innau ar ei air, 'do, a wnaeth o ddim croesi fy meddwl i amau fo ac i jecio y bysa fo wedi gwneud hynny.

Oedd o wedi fy nhrin i fel ffŵl a mi o'n i'n teimlo rêl ffŵl hefyd.

DYN DRWG, NINA BACH

MI WNES I gysylltu efo'r heddlu. Ond doedd 'na ddim byd y gallan nhw ei wneud, meddan nhw. Doedd o ddim wirioneddol wedi 'dwyn' y pres, nac oedd? Jyst wedi cymryd y rhan fwyaf ohono fo o'r joint acownt oedd o. Pres ni oedd o, 'te. Ei bres o. Doedd o ddim wedi gwneud dim byd o'i le yn llygaid y gyfraith. Dim ond yn fy llygaid i.

Ond mi es i weld twrna. O'n i isio ysgariad. Cynta'n byd gorau'n byd hefyd. Ysgwyd ei ben a thynnu wyneb wnaeth hwnnw pan ddeudais i wrtho am fy hynt a'm helynt.

'Be sy? Oes 'na broblem?' gofynnais i'r hogyn bach ifanc ochr arall i'r ddesg. Doedd o ddim yn edrych ddigon hen i adael 'rysgol, heb sôn ei fod o wedi cymhwyso'n dwrna. Doedd ei *acne* drwg ddim yn helpu pethau chwaith.

'Wel, oes, braidd,' medda fo gan grafu ei wddf yn nerfus.

O'n i'n dechrau amau mai disgybl chweched dosbarth ar brofiad gwaith oedd y llefnyn.

'Be 'lly?' gofynnais wedyn. Roedd ganddo fo fflêcs dandryff drwg ar ei ysgwydd dde. Mae'n amlwg nad oedd y creadur bach erioed wedi clywed am siampŵ Head and Shoulders.

'Cyn y gall rywun wneud *petition* am ddifôrs, ma'n rhaid bod y cwpwl wedi bod yn briod am ddeuddeg mis, dach chi'n gweld,' medda fo wedyn. 'Yn anffodus, dim ond am bedwar mis ydach chi a Marc Jones wedi bod yn briod.'

'Pedwar mis, pythefnos a chwe diwrnod,' cywirais yr hogyn. 'Felly dach chi'n deud y bydd rhaid i mi aros blwyddyn?'

'Yndw, ma arna i ofn. Heblaw, wel, heblaw bod 'na achos i gael *annulment*,' medda fo wedyn. 'Fedrwch chi wneud cais am *annulment* unrhyw amser ar ôl y briodas.'

'Sut fedra'i gael peth felly?'

'Ma'n rhaid i chi brofi nad oedd y briodas yn un ddilys yn y lle cyntaf. Neu ei bod hi'n ddiffygiol.'

'Diffygiol? Be dach chi'n feddwl diffygiol?' gofynnais yn ddryslyd. O'n i wastad wedi meddwl mai nwyddau roedd rhywun wedi'u prynu ac oedd wedi torri oedd yn ddiffygiol. Pethau fel car, hwfyr neu beiriant golchi, dim priodas.

'Wel, mi all y briodas fod yn ddiffygiol am wahanol resymau,' medda'r cyw twrna wedyn.

'Pa fath o resymau?' gofynnais innau.

'Dewch i ni gael gweld,' medda fo gan droi at ei gyfrifiadur a theipio'n wyllt. Bu'n syllu'n ddwys ar ei sgrin am sbel hir. 'Reit, 'ta,' medda fo gan droi ataf. 'Ydach chi'n perthyn o gwbl?'

Wel, ydan siŵr. Mi ydan ni'n ŵr a gwraig,' medda fi yn synnu braidd ei fod wedi gofyn cwestiwn mor ddwl.

'Na, na,' gwenodd yn wan. 'Ydach chi'n perthyn perthyn i'ch gilydd? Ydach chi'n frawd neu chwaer, er enghraifft?'

'Bobol mawr, nac ydan, siŵr!' protestiais yn uchel. Be oedd hwn yn ei feddwl o'n i?

Aeth y *teenager* yn ei flaen. 'Oedd un ohonoch chi o dan un ar bymtheg oed pan wnaethoch chi briodi?'

Rhythais yn ôl yn flin arno fo, 'Ydw i'n edrych fel taswn i o dan un ar bymtheg?'

Roedd ganddo fo hen bloryn ffyrnig efo pen melyn mawr ar ganol ei dalcen, reit rhwng ei eiliau blewog. Am ryw reswm ro'n i'n methu tynnu fy llygaid oddi arno. Roedd o'n codi pwys arna i braidd. Roedd o ar fin fy nhafod i awgrymu wrtho fod *tea tree oil* yn beth da at *acne*. Ond calla dawo, meddyliais wedyn. Trodd ei ben yn wyllt i syllu'n ôl ar y sgrin. Cariodd yn ei flaen i ddarllen.

'Oes un ohonoch chi'n briod yn barod neu mewn *civil partnership*?'

'Nac ydan.'

'Mm. Biti. Fasach chi'n gallu cael *annulment* wedyn. Wnaethoch chi gytuno o'ch gwirfodd i'r briodas?'

'Do, siŵr iawn.'

'Oeddech hi wedi meddwi neu gawsoch chi eich gorfodi i briodi?'

'Naddo, siŵr, ches i ddim fy ngorfodi. A nag oeddwn. O'n i'n berffaith sobor.'

'Oeddech chi'n disgwyl babi gan ddyn arall ar y pryd?'

'Nag oeddwn!'

'Ydi'r briodas wedi cael ei chonsiwmetio? '

'Consiwmetio?' ebychais yn methu credu fy nghlustiau.

'Hynny ydi,' crafodd y twrna bach ei wddf yn nerfus cyn ymhelaethu. 'Ydach chi a Mr Jones wedi cael... wedi cael... rh... rh...' Roedd 'na ryw atal dweud mawr wedi dod drosto fo mwyaf sydyn. 'Ydach chi a Mr Jones wedi cael... cael rhy... rhy... rhyw ers y briodas?' llwyddodd i ddweud o'r diwedd yn cochi at ei glustiau ac yn bellach.

Wnes i ddim trafferthu ei ateb o. A phan ofynnodd i mi os oedd gan Marc glefyd rhywiol pan wnaethon ni briodi, digon oedd digon. Codais a martsiais allan o'r swyddfa.

Newydd gyrraedd y car yn y maes pario o'n i ac ar fin ei ddatgloi, pan alwodd rhywun f'enw i. Troais rownd yn wyllt ac edrych o gwmpas i weld pwy oedd berchen y llais. Pwy oedd yn cerdded yn fân ac yn fuan i fy nghyfeiriad ond Anwen, ffrind Anti Eirlys. Doeddwn i ddim wedi ei gweld hi ers ei pharti, wythnosau'n ôl bellach.

'Nina bach, sut wyt ti, 'mechan i?' gofynnodd yn bruddglwyfus.

'Reit dda, diolch a chithau?'

'Go lew ydw i a deud y gwir. Dwi'n dal i ddisgwyl apwyntiad i gael mynd i weld spesialist efo'r glun 'ma. Ma Sharon (ei merch chi oedd honno) yn swnian arna i i fynd i weld rhywun yn breifat. Ond dwi'n gwrthod yn daer gneud hynny, 'te, a finnau wedi talu Nashional Insiwrans ar hyd fy oes. Mae'n iawn i mi gael rwbath yn ôl gin y bygars, tydi? Ond sut wyt ti, 'mechan i?'

Cyn i mi gael cyfle i'w hateb, byrlymodd Anwen yn ei blaen.

'Mi fues i'n Cheshire Oaks ddydd Sadwrn. Trip efo Cambrian Coaches. Ond tydi o ddim run peth, cofia. Ddim heb dy Anti Eirlys, druan. Ow, dwi'n ei cholli hi, cofia, fy mhartner *in crime*. Oedd hi'n gymaint o *life and soul*, toedd? Dwi wedi rhoi fy enw i lawr i fynd i Iwerddon mis nesa. Ond dwi ddim yn siŵr fedra i fynd. Ddim heb dy Anti Eirlys. Ma'r *day trips* ma'n ocê, dwi'n gallu côpio'n o lew â'r rheini. Ond wn i ddim sut fydda i dros nos, 'de, yn rhannu stafell efo rhywun heblaw Eirlys. Ow, mi oedden ni'n cael laff efo'n gilydd...' meddai wedyn yn ddagreuol a dechrau turio yn ei bag am hances boced.

'Wel, neis iawn eich gweld chi, mae'n rhaid i mi fynd... ' medda finnau yn datgloi'r car. Doedd gen i fawr o awydd nac amynedd i ryw fân siarad efo hi a dweud y gwir. Ac mi oedd Anwen yn un oedd yn gallu siarad. Oedd hi'n gallu siarad dros Gymru a sawl gwlad arall. Oedd ei cheg hi'n arfer blino Anti Eirlys yn aml iawn. Dwi'n ei chofio hi'n dweud lawer gwaith ar ôl bod ar drip neu ddiwrnod allan efo'i chyfaill mynwesol, "Asu ma'r Anwen 'na'n siarad. Tydi cheg hi ddim yn cau. Fydda'i gorfod deud wrthi weithia, sdi. Taw rŵan, Anwen bach, rho jans i dy din, wir Dduw.' Ac mi fyddwn innau'n arfer chwerthin efo fi fy hun pan fyddai hi'n dweud hynny a meddwl bod isio deryn glân i ganu, Anti Eirlys bach!

'Fel o'n i'n deud, fues i'n Cheshire Oaks dydd Sadwrn.'

Suddodd fy nghalon i wadnau fy sgidiau. Doeddwn i ddim am gael get awê arni mor hawdd â hynny. Aeth Anwen yn ei blaen.

'Ew, mi oedd hi'n oer 'na. Y gwynt yn fain. Beth bynnag i ti, pwy weles i ar y trip ond Lloyd. Doedd o ddim yn gweithio ar y bysys, jyst wedi dod am y reid, 'lly, y trip siopa. Oedd o isio prynu siwt newydd, medda fo. Priodas hogyn ei chwaer. Edrych yn dda am ei oed mae o, 'de? Fasat ti byth yn ei roi o'n hanner cant, na fasat ti? Fasat ti ddim yn ei roi mwy na ryw fforti, deud gwir. Dwi'n meddwl ei fod o'n cael botocs bob hyn a hyn, sdi. Dyna ddeudodd o wrth Eirlys a finnau rhyw dro. Er dwi ddim yn siŵr os ydi o'n dal i ga'l y botocs. Ma peth felly'n gallu bod reit beryg, tydi? Meddylia sticio nodwydd fawr i dy wyneb di. Ma siŵr ei fod o'n brifo'n gythreulig. Ma'n ddigon i mi gael nodwydd pan dwi'n ca'l *filling* yn fy naint a ti'n darllen yn y magasîns 'ma am bobl wedi cael botocs a golwg ar eu hwynebau bach nhw wedyn. Methu gwenu na dim ac wynebau rhai yn *lopsided* i gyd. Er ma Lloyd yn medru gwenu'n iawn. Gwên fach ddel ganddo fo i ddeud y gwir a dannedd del. Ma siŵr y cafodd o *braces* fel chditha pan o'dd o'n fengach. Ma gin tithau ddannedd bach del rŵan, 'does?'

O'n i hefyd wedi anghofio bod Anwen yn dueddol o fynd rownd y tai, y pentref, y dref, y ddinas a'r wlad i gyd i ddweud ei stori. Tyrd at y pwynt wir Dduw, Anwen bach, fyddai Anti Eirlys yn arfer ei ddweud wrthi.

'Ond ddychrynais i pan ddeudodd o wrtha i. Pan glywais i, o'n i wedi styrbio'n lân. I ddeud y gwir wrthot ti o'n i wedi styrbio drwy'r dydd. Fedrwn i ddim meddwl siopa na dim. A ti'n gwybod gymaint dwi'n licio siopa. Ti'n cofio, fel oedd dy Anti Eirlys a finnau yn arfer mynd i Landudno ac i Gaer? Er ma fanno wedi mynd i lawr yn ddiawchedig yn ddiweddar, tydi? Beth bynnag i chdi, o'n i wedi styrbio cymaint wnes i ond picied yn sydyn i Marks. Mi brynais i gardigan fach neis a *fish pie*, yn fanno. Wyt ti wedi trio *fish pie* Marks? Tydi un Tecso ddim yn rhy ddrwg, chwarae teg, ond ma un Marks yn anfarwol, lympiau mawr o samon a chod ynddi hi, sdi. Wel, ar ôl i mi dalu am y ddau mi es i'n ôl i ista yn y bws tan oedd hi'n amser cychwyn am adra.'

'Ydi Lloyd yn iawn?' Llwyddais i ofyn pan lyncodd ei phoer. O'n i'n meddwl yn siŵr fod yna ryw aflwydd neu waeledd mawr wedi cael gafael ar yr hen Lloyd a dyna pam roedd Anwen wedi styrbio cymaint.

'Be? Yndi, tad. Ma Lloyd yn tsiampion. Ma o'n mynd i Tenerife wsnos nesa. Lle braf ydi fan o, 'de. Wyt ti 'di bod?'

Ysgydwais fy mhen.

'Wel, dyma fo'n deud wrtha i amdanat ti a'r hen Marc 'na. Deud ei fod o wedi'i gluo hi bag and bagej. Ofnadwy, Nina bach, a chithau ond yn briod ers dau funud. Tydi'r inc ddim wedi cael tsians i sychu'n iawn ar y sertifficet priodas! Mi soniodd am y pres hefyd. Ofnadwy!'

O'n i ddim wedi sylweddoli cymaint o hen geg lac oedd Lloyd. Atgoffais fy hun i beidio â dadlennu unrhyw gyfrinach fawr arall byth eto wrtho fo.

'Dyn drwg, Nina bach. Mi fysa Eirlys yn troi yn ei bedd tasa hi'n gwybod. Ond mi o'dd hi wedi cael ei hyd a'i led o, sdi. O, oedd. '

'Be dach chi'n feddwl?'

'Doedd hi ddim yn licio'r dyn o gwbl, nag oedd? Oedd hi ddim yn hapus ei fod o wedi symud i mewn atat ti mor fuan. O'dd hi'n poeni bod petha'n symud yn rhy gyflym rhyngoch chi. Ac yn bendant fysa hi ddim wedi bod yn hapus dy fod ti wedi'i briodi o.'

'Wnaeth hi ddeud hynny wrthoch chi?'

'O, do, sdi, sawl gwaith. Ond oedd hi'n gwybod, medda hi, doedd 'na ddim pwynt iddi ddeud dim byd wrthat ti. Fasat ti ond yn cicio yn erbyn y tresi ac ystyfnigo'n waeth. Felly mi benderfynodd hi gau ei cheg a gweddïo y bysa'r románs yn chwythu'i phlwc. Doedd hi ddim yn ei drystio fo cyn belled y bysa chdi'n gallu ei daflu fo. O'dd na rywbeth amdano fo, medda hi. Mi glywais i'r ddau'n ffraeo sdi, ar y trip i Loch Lomond.'

'Ffraeo?' Ro'n i'n methu credu 'nghlustiau.

'Bore noson y ddamwain oedd hi. Dwi'n dal yn cael hunllefau, sdi. Ei gweld hi'n disgyn lawr yr hen risiau 'na...'

'Oeddech chi'n deud am y ffrae, Anwen?' torrais ar ei thraws yn wyllt. Dim ffiars o beryg o'n i'n dymuno clywed unwaith eto holl fanylion arswydus damwain Anti Eirlys druan.

'O ia, lle oeddwn i, dwa?' dadebrodd ryw fymryn. 'Wel, mi oedden ni y bora hwnnw yn mynd ar drip i weld rhyw gastell. Am newid, Eirlys a finnau oedd y rhai cynta ar y bws. Ond o'n i wedi anghofio fy sgarff yn yr hotel ac felly mi biciais i yn ôl i mewn i'w nôl hi. Mi adawes i Eirlys yn y bws efo Marc. Pan ddes i yn ôl mi oedd 'na gega hyll yn mynd ymlaen rhwng y ddau. Lwcus doedd 'na neb arall byth wedi cyrraedd.

Glywais i dy Anti Eirlys yn deud wrth Marc: 'Paid ti â meiddio brifo'r hogan fach 'na, ti'n dallt? Ma hi wedi bod drwy ormod fel mae hi. Os wnei di, mi fydd gin ti fi i ddelio efo hi, ti'n dallt?' medda hi wrtho fo wedyn yn chwifio ei bys o flaen ei drwyn o. A dyma fo wedyn yn mynd reit i fyny i'w hwyneb hi, reit fygythiol a deud y gwir, a deud wrthi am gadw ei thrwyn mawr allan o'i fusnes o a chdi. Neu y bysa hi'n difaru. Dyna ddeudodd o heb air o gelwydd.'

'Dach chi'n siŵr ddeudodd o hynny?' medda finna'n syfrdan.

'Do, tad,' nodiodd Anwen ei phen. 'Mi sylwodd Marc arna i'n camu ar y bws wedyn a mi ddiflannodd yntau'n din fain allan am smôc. Dwi'n cofio gofyn i Eirlys, "Ti'n iawn? Be oedd hynna i gyd rŵan?" Mi oedd golwg wedi styrbio braidd arni hi a deud y gwir. A ti'n gwybod sut un oedd dy fodryb, doedd hi ddim yn cymryd dim gan neb, nag oedd? Ond mi roedd hi'n amlwg ei bod hi wedi cael ei lluchio oddi ar ei hechel. Wnaeth hi jyst deud, "Paid â gofyn wir. Ond mi ddeuda i hyn wrthyt ti, Anwen, mi roi 'mhen i lawr i dorri mai iwsio Nina ma Marc. Ma ganddo fo fwy o feddwl o'i blydi mopeds na sydd ganddo fo o Nina, saff i ti. A dim tra bydd 'na chwythiad ynddan fi ma o'n mynd i gael priodi Nina fach. Mi wna i'n saff o hynny. Mi fydd Nina'n diolch i mi rhyw ddiwrnod." Dyna ddeudodd hi, ar fy marw. A rŵan dwi'n teimlo mor ofnadwy. Taswn i wedi sôn neu jyst wedi deud rhywbeth ynglŷn â sut roedd dy Anti Eirlys yn teimlo am y dyn, ella y bysa chdi wedi meddwl ddwywaith cyn ei briodi o. A fysa fo ddim wedi ei bachu hi o ma efo'r miloedd 'na wedyn, na fysa? Ddylwn i fod wedi deud wrthot ti.'

Gwenais yn gysurlon ar Anwen. 'Fysa fo ddim wedi gneud unrhyw wahaniaeth, chi. Fel ddeudodd Anti Eirlys ei hun, fyswn i ddim wedi gwrando beth bynnag. O'n i wedi disgyn dros fy mhen a 'nghlustiau, doeddwn, fel o'n i wiriona.'

'O, Nina bach. Os oes 'na rywbeth fedra i neud i helpu…'

'Tasach chi heb gael yr eryr…'

'Heb gael be?' gofynnodd Anwen yn ddryslyd.

'Dim ots,' gwenais arni'n wan. 'Well i mi fynd. Wela i chi eto, Anwen.'

'Cym bwyll, Nina bach.'

KIT KAT A WASHYRS

FUES I'N MEDDWL dipyn wedyn am be ddeudodd Anwen wrtha i'r diwrnod hwnnw. Oedd Marc wirioneddol wedi bygwth Anti Eirlys? Roedd hi'n anodd iawn gen i gredu hynny rhywsut. Ôl reit, ella ei fod o wedi fy nhwyllo i o gan mil a hanner o bunnoedd a bron iawn â chlirio'r joint acownt ond chododd o erioed ei fys bach ata i chwaith. Dwi'n gwybod hefyd fod Anti Eirlys yn gallu bod yn waith caled ar adegau a bod angen amynedd Job efo hi. Cysurais fy hun mai wedi camddeall y sefyllfa oedd Anwen ac mi oedd rhaid i mi gofio ei bod hithau'n un oedd yn dueddol o orliwio pethau hefyd.

Ond doedd 'na ddim amheuaeth bod Anti Eirlys yn llygaid ei lle yn dweud mai wedi fy nefnyddio i oedd o. Mi driodd hi hefyd fy rhybuddio i amdano fo. Taswn i ond wedi pwyllo fymryn yn lle rhuthro fel gwnes i. Ond fel tasa Anti Eirlys ei hun yn ei ddweud, 'Dim iws codi pais ar ôl piso'.

Mi oedd gen i gywilydd hefyd. Cywilydd mod i wedi bod mor naïf. Cywilydd bod fy mhriodas heb bara ond am ychydig fisoedd. Unwaith eto roedd y wynebau cydymdeimladol yn eu holau. Roedden nhw'n ddigon drwg adeg pan orffennodd Emyr efo fi. Ond roedd y tro hwn saith gwaith. Does 'na ddim byd gwaeth yn y byd na phobl yn teimlo'n sori trosoch chi. O'n i'n gwybod yn iawn tu ôl i'r wên gydymdeimladol eu bod nhw'n siarad tu ôl i 'nghefn i. O'n i'n gallu eu clywed nhw'n dweud pethau fel: 'Doedden nhw ddim wedi priodi dim gwerth... Mae'n rhaid ei bod hi'n un uffernol i fyw efo hi os adawodd o mor handi â hynna... Be o'dd mater, tybed? Methu ei blesio fo yn y gwely?'

Mi oedd gen i gywilydd mawr hefyd fy mod i wedi bod mor naïf â throsglwyddo'r holl bres yna iddo fo. O'n i wedi llyncu ei gelwydd ei fod o'n awyddus i fuddsoddi a bod yn gyfranddaliwr yn Cambrian Coaches. Ond o'n i'n ei drystio fo, doeddwn? Pam fyswn i wedi'i amau fo?

Fuodd Linda a Heulwen yn gefn mawr i mi yn ystod y misoedd cyntaf. Er waetha'r ffaith bod Linda'n mynnu galw Marc yn Lord Lucan bob gafael. Roedd Heulwen ar dân eisiau i mi logi ditectif preifat i gael hyd iddo fo. Ond ar ôl gwneud gwaith ymchwil ar y we a deall bod pethau felly yn gallu costio i fyny i saith deg pum punt yr awr, mi rois i'r syniad yna o'r neilltu. Dim ffiars o beryg ro'n i'n mynd i wario cymaint â hynny i gael hyd i'r brych. Roedd o wedi cymryd gormod o 'mhres i'n barod.

Mi roedd yna fisoedd wedi mynd heibio bellach a dal ddim siw na miw o Marc. Roedd ei ddiflaniad disymwth yn hen newyddion yn y pentref bellach a'r rhai oedd wrth eu boddau'n hel clecs wedi hen symud ymlaen i hel straeon am druainiaid eraill.

Dydd Sadwrn oedd hi, dwi'n cofio'n iawn. Dydd Sadwrn cyntaf gwyliau'r haf. A finnau efo saith wythnos o wyliau o fy mlaen ro'n i wedi bwriadu taclo ychydig o jobsys oedd angen eu gwneud o gwmpas y tŷ acw. Paentio'r portsh, clirio'r twll dan grisiau a chael gwared â phob arwydd o Marc o'r tŷ. Ond un peth oedd ar dop fy rhestr cyn hynny hyd yn oed oedd sortio tap y sinc oedd yn dripian yn y bathrwm. Mi oedd o wedi bod yn mynd ar fy nerfau ers wythnosau a dweud y gwir. O'n i'n methu mynd i gysgu oherwydd y drip drip dripian o'r stafell drws nesaf. Roedd y plinc plinc nosweithiol bron yn artaith. Dyna'r ail waith iddo fo ddripian mewn llai na blwyddyn.

Yn garedig iawn mi oedd Emlyn Roberts drws nesaf ond un, wedi cytuno i ddod draw'r bore hwnnw i drwsio'r tap. Cyn iddo ymddeol, saer coed oedd Emlyn ac yn naturiol ddigon roedd yn dipyn o handi man. Roedd o draw ychydig ar ôl hanner awr wedi wyth. Cael a chael oedd hi fy mod i wedi codi. O'n i dal yn fy mhyjamas.

'Duwcs, newydd godi dach chi,' medda fo, gan gerdded i mewn fel tasa fo oedd bia'r lle. 'Ma'r Mysus 'cw wedi penderfynu ei bod hi isio mynd i Landudno heddiw, ylwch. Felly o'n i'n meddwl byswn i'n dŵad draw i sortio'r tap 'na cyn mynd.'

Sbonciodd i fyny'r grisiau fel ebol blwydd er waethaf ei fod yn ei saithdegau hwyr gan weiddi ar ei ôl i mi lenwi'r tegell i neud panad, cyn iddo fo droi'r dŵr i ffwrdd. 'Fel mae o'n dŵad. Llefrith a dwy lwyaid o siwgr plis,' medda fo gan roi ei ordor i mewn.

Pan es i â'r baned i fyny iddo dyna lle'r oedd o yn rhyw duchan yn o arw yn ymbalfalu yn y sinc. Roedd o wedi llwyddo i ddatgymalu'r tap.

'Y washar sydd wedi mynd. Mae angen un newydd. Oeddech chi'n deud ei fod o wedi mynd o'r blaen, do? Mae'n rhaid eich bod chi'n ei gau o'n rhy dynn neu rwbath,' medda fo gan gymryd sip o'i baned boeth yn swnllyd.

'Fedrwch chi ei drwsio fo?' gofynnais yn obeithiol.

'Medraf, tad. Ond y peth sydd... Dew, panad dda. Ond ydach chi'n gwybod be fysa'n ei gneud hi'n banad well?'

'Na wn i,' medda finnau.

'Sgedan. *A drink is too wet without one*, dyna fyddai i'n ei ddeud.'

Yn ôl â fi lawr y grisiau wedyn i chwilota yn y cwpwrdd bwyd am fiscit i Emlyn. Yn ffodus mi oedd gen i baced o tŵ ffingyr Kit Kat heb ei agor. Mi blesiodd hwnnw'n arw.

'Ia, fel o'n i'n deud,' medda fo ai'i geg yn llawn siocled. 'Mi fedra'i drwsio'r tap i chi ond y broblem ydi sgin i ddim washer y seis iawn.'

'Lle ga'i beth felly?' medda fi yn gweld fy hun yn gorfod mynd am drip disymwth i B&Q neu rywle cyffelyb.

'Sgynnoch chi focs tŵls?'

'Bocs tŵls?'

'Ia, mi fysa werth tsiecio oes 'na washer sbâr yn hwnnw. Ma'n nhw'n dŵad mewn pac o chwech fel arfer.'

Oedd Marc wedi mynd â'i focs tŵls efo fo? Wnes i ddim meddwl tsiecio pan ffeindiais i fod y ddau foped wedi diflannu.

'A'i sbio rŵan i chi.'

I ffwrdd â fi am y garej yn dal yn fy slipers a fy ngŵn nos. Ges i ychydig llai o drafferth i agor y drws y bore hwnnw diolch byth. Doedd gen i ddim y syniad cyntaf lle'r oedd Marc yn arfer cadw ei focs tŵls. Ond yn lwcus fuodd ddim rhaid i mi edrych yn hir, dyna le'r oedd y bocs glas ar y silff reit yng nghefn y garej. Bingo, medda fi wrthyf fi fy hun.

Codais y bocs oddi ar y silff. Nefoedd mi oedd yn pwyso tunnell. I arbed ei gario'r holl ffordd i'r tŷ, penderfynais ei agor yn y fan a'r lle i chwilota am y washers.

Chredwch chi byth beth oedd i mewn yn y bocs. Disg fach arian fel tag sydd ar goler ci.

Dyna'r peth diwethaf o'n i'n ddisgwyl ei weld ymysg y sgriwdreifers, y *wrenches* a'r trugareddau eraill. Pam yn y byd mawr y byddai Marc wedi cadw tag ci yn ei focs tŵls? Doedd y peth ddim yn gwneud synnwyr o gwbl. Codais y tag o blith yr holl sgriws a'r sgriwdreifers. Darllenais beth oedd wedi'i sgwennu arno.

Jasper
9 Victoria Gardens
Queens Park
London N60

Ochr arall i'r tag roedd rhif ffôn symudol. Stwffiais y ddisg gron i boced fy ngŵn nos. Llygadais y paced bach o washers. Pocedais y rheini hefyd a rhuthrais yn ôl i'r tŷ.

Tra roedd Emlyn yn trwsio'r tap, gwisgais amdanaf yn frysiog ac yna ar ôl magu digon o blwc deialais y rhif ffôn oedd ar y ddisg ac yna daliais fy ngwynt… *This number is no longer in service*, datganodd y llais.

Doedd ond un peth amdani felly.

9 VICTORIA GARDENS

DIM OND UNWAITH o'r blaen ro'n i wedi bod yn Llundain ac mi roedd yna flynyddoedd maith ers hynny. Rhyw ychydig fisoedd oedd hi ar ôl i mi golli fy nhad a fy mam. Mi oedd Anti Eirlys ac Yncl Dilwyn wedi trefnu, fel rhyw fath o drît i mi am wn i, ein bod ni'n tri'n mynd am y penwythnos i Lundain i weld y sioe *Chitty Chitty Bang Bang*. Wnes i ddim mwynhau munud o Lundain na'r sioe. Dwi'n dal i gael hunllefau am y Child Catcher yna.

Doeddwn i ddim yn edrych ymlaen at y trip yma chwaith ond doedd gen i ddim dewis os o'n i am ddod o hyd i Marc. Ro'n i'n meddwl yn siŵr mai yn 9 Victoria Gardens yr oedd o.

Ro'n i wedi bwcio trên 13.17 o Fangor. Trên syth drwodd i Euston. Allwn i ddim meddwl am newid trên a rhyw hen strach felly. Nabod fy lwc i, landio ym Mirmingham neu yn Edinburgh fyswn i.

Ro'n i wedi parcio fy nghar, talu am docyn parcio ac ar fy ail baned o goffi yng nghaffi'r stesion am chwarter i un. O'n i wedi cael cinio buan cyn cychwyn o'r tŷ, wy 'di ferwi a phishyn o dost.

Doedd teimlo'n nerfus ddim ynddi. Roedd teithio ar fy mhen fy hun bach yn ddigon drwg, heb sôn am feddwl beth oedd yn fy wynebu ar ôl i mi gyrraedd yno. Ond o'n i fel taswn i'n clywed llais Anti Eirlys yn fy mhen yn dweud,

'Bydda'n gryf, Nina bach. Paid â gadael i'r sglyfaeth gael get awê efo be mae o wedi neud. Mynna atebion ganddo fo a mynna gael dy bres yn ôl.'

Roedd y cerbyd yr o'n i'n eistedd ynddo dan ei sang. A hithau'n ddechrau gwyliau'r haf roedd hi'n amlwg fod y byd a'i nain wedi penderfynu mynd am frêc i'r mwg mawr. Ro'n i wedi gobeithio cael cyfle i ddarllen fy llyfr ond doeddwn i ddim yn gallu clywed fy hun yn meddwl heb sôn am ganolbwyntio ar ddarllen. Drws nesaf i mi eisteddai dyn yn ei dridegau cynnar yn gaeth i'w laptop. Rhwng hwnnw, ei lyfr nodiadau, ei bapur newydd a'i goffi roedd ei drugareddau'n cymryd tri chwarter y bwrdd. Ro'n i hefyd wedi cael fy ngwasgu i'r ffenest oherwydd ei gluniau abl. Fuodd o ar ei ffôn yn ddi-stop yr holl ffordd o Gonwy hyd nes i ni gyrraedd Watford Junction. O be ddalltish i, roedd o ar ei wyliau yn ei dŷ haf yn Abersock ond roedd o'n gorfod teithio yn ôl i Lundain ar gyfer rhyw gyfarfod pwysig y bore wedyn. Roedd 'na ryw *merger* go fawr ar y gweill a beth oedd yn poeni'r bonwr yn fwy na dim oedd effaith hynny ar ei siârs personol o. Pawb â'i fys lle bo'i ddolur, meddyliais innau.

Dros y ffordd i mi eisteddai mam a'i merch fach, Cadi Mair, oedd newydd gael ei phen blwydd yn saith oed. Chaeodd honno ddim mo'i ei cheg chwaith yr holl ffordd. Roedd y peth bach wedi gwirioni'n bot ei bod yn cael mynd i Lundain am bedair noson a chael aros mewn hotel grand efo pwll nofio mawr ynddo fo. Presant pen blwydd oedd y trip. Mi roedd hi hefyd yn cael mynd i Hamleys, y siop deganau fwyaf yn y byd i gyd, ar drip bws i weld Big Ben a Buckingham Palace a mynd am reid ar y London Eye, olwyn fawr fawr yn troi yn araf, araf oedd honno. Mi roedd hi'n gobeithio y byddai hi'n braf pan oedd hi ar yr olwyn neu fysa hi ddim yn gallu gweld dim byd. Dwi'n gwybod hyn i gyd am iddi ddweud hyn i gyd wrtha i o leiaf hanner dwsin o weithiau. Ond y peth roedd hi'n edrych ymlaen fwyaf ato fo oedd cael mynd i weld y sioe gerdd *Frozen*.

Mi oedd hi'n bwriadu gwisgo ffrog las fel sydd gan Elsa yn y ffilm i fynd i weld y sioe hefyd. O leiaf fyddai hunllefau ddim yn deffro Cadi fach yn y nos.

Pan gyrhaeddodd y trên Euston o'n i'n teimlo'n sâl. Roedd y frechdan ham a chaws a'r *cookie* siocled ro'n i wedi'i bwyta ar y trên (wel, mi roedd hi'n oriau ers i mi gael yr wy wedi'i ferwi) yn bygwth ailymddangos. Roedd fy nghalon i'n drybowndian. Cymerais anadl fawr cyn camu allan drwy'r drws. Brasgamais yn fân ac yn fuan gyda fy rycsac blodeuog ar fy nghefn yn trio fy ngorau i ddal i fyny gyda'r dorf o deithwyr eraill oedd yn cymryd camau breision pwrpasol i gyfeiriad prif gyntedd yr orsaf. Roedd pobl fel chwain yn y fan honno. Codais fy ngorwelion i chwilio am yr arwydd tacsis. Dim ffiars o beryg ro'n i'n mynd i fynd ar y tiwb. Y tro diwethaf es i ar hwnnw mi ges i'r panig atác mwyaf ofnadwy. Roedd rhaid i Yncl Dilwyn, Anti Eirlys a finnau ddod oddi arno yn y stop nesaf. Ro'n i'n methu cael fy ngwynt am ryw reswm. Tacsi fuodd hi i bob man ar ôl hynny ac Yncl Dilwyn yn cwyno bod tacsis yn ddrud ac Anti Eirlys yn dweud wrtho fo am beidio â bod mor gynnil a fynta, tasa fo isio, yn gallu fforddio prynu'r fflyd tacsis i gyd.

Yr holl ffordd yn ystod y siwrnai i Lundain ro'n i wedi bod yn ceisio penderfynu beth oedd y peth gorau i'w wneud, mynd yn syth am y gwesty neu fynd yn syth draw i 9 Victoria Gardens. Fy chwilfrydedd enillodd y dydd a ro'n i ar binnau eisiau wynebu Marc. Eisteddais yn sedd gefn y tacsi du wrth i hwnnw nadreddu ei ffordd drwy'r strydoedd culion.

Ro'n i hefyd wedi bod yn ymarfer yn fy mhen beth ro'n i'n mynd i ddweud wrth y sinach.

'Helô, ti'n fy nghofio fi? Dy wraig di? Wnest di anghofio hwn.' Ro'n i wedyn yn bwriadu chwifio'r tag o flaen ei hen wep o. O'n i'n bwriadu bihafio'n gwbl hunanfeddiannol a di-emosiwn. Dim strancs na sterics. Ro'n i'n edrych ymlaen yn fawr i'w weld o'n gwingo.

Rhywle yng ngogledd Llundain oedd y cyfeiriad ac yn fuan iawn roeddem ni mewn ardal lewyrchus a chyfoethog yr olwg. Doedd dim ond rhaid i chi edrych ar y ceir oedd wedi parcio tu allan, roedd y strydoedd yn frith o BMWs, Audis a 4x4. Roedd y strydoedd i gyd yn debyg o ran tai hefyd. Tai Fictorianaidd nobl efo *shutters* gwyn arnynt i gyd. Yna arafodd y tacsi dros y ffordd o flaen tŷ teras gwyn smart efo drws glas tywyll. Doedd Marc erioed yn gallu fforddio byw mewn lle fel hwn, doedd bosib?

Estynnais am fy mhwrs i dalu'r deuddeg punt ac wyth deg ceiniog i'r gyrrwr.

'*Oh my gawd! You know who that is, don't you?*' meddai'r gyrrwr tacsi wedi cynhyrfu'n lân, cyn hynny doedd o ddim wedi yngan gair o'i ben. '*That's Elen Protheroe. She's in that new Netflix series that every one is talkin' about. I can't for the life of me remember what's it called… She's drop dead gorgeous, she is.*'

Codais fy nhrem o fy mhwrs a gweld merch ifanc benfelen, yn denau fel styllen a sbectol haul tywyll ar ei phen. Roedd hi newydd gamu allan drwy ddrws 9 Victoria Gardens.

'*Are you sure that's nine Victoria Gardens?*' medda fi wrth y gyrrwr yn wyllt.

'*Yeah, course I'm sure, luv. I know these streets like the back of me 'and.*'

Llyncais fy mhoer yn galed i drio stopio'r beil oedd yn mynnu codi o'n stumog.

'*I'm sorry, I've changed my mind. Can you please take me to The Academy Hotel, Gower Street please?*' medda fi a fynta yn dal i syllu'n gegrwth ar yr actores oedd yn cerdded i lawr y stryd yn gwthio pram.

MARY POPPINS

O'N I DDIM y gwybod be i feddwl. Doedd Marc erioed mewn perthynas efo Elen Protheroe o bawb? Yr Elen Protheroe? Er nad o'n i wedi dilyn ei gyrfa, mi roedd gen i ryw gof ohoni'n actio flynyddoedd yn ôl yn *Pobol y Cwm* ond mi roedd hi ers hynny wedi symud yn ei blaen i borfeydd brasach o lawer. Roedd hi wedi ymddangos mewn sawl ffilm a throedio ar lwyfannau theatrau'r West End. Ro'n i wedi clywed am y gyfres newydd yma roedd hi'n ymddangos ynddi ond doeddwn i erioed wedi'i gwylio hi. Does gen i fawr o ddiddordeb mewn pethau *sci-fi* a rhyw gyfres debyg i *Games of Thrones* oedd y gyfres yma ond ei bod wedi'i lleoli yn y gofod efo pryfaid cop yn hytrach na dreigiau ynddi hi.

Ond pryd a sut wnaeth y ddau gyfarfod? Dim rhyfedd ei fod o wedi 'ngadael i os oedd o mewn perthynas efo hon. Yr holl absenoldebau, y tripiau i ffwrdd. Yn Llundain efo Elen Protheroe oedd o! Yn Llundain efo'i gariad a'i fabi, meddyliais yn wyllt.

Does gen i ddim cof cyrraedd y gwesty dim ond y gyrrwr tacsi yn dweud, *'Are you getting out this time, luv', or are we taking another ride somewhere else?'*

Ar ôl cyrraedd fy stafell dilynais esiampl fy modryb a gwneud be roedd hi'n arfer ei wneud mewn unrhyw greisis. Tolltais gin a thonic mawr i fi fy hun o'r mini bar. Fues i am hydoedd wedyn yn eistedd ar ochr y gwely wedi fy llorio'n lân.

Dadebrais. Callia rŵan, Nina, jyst callia am funud bach, medda fi wrtha fi fy hun. Does wnelo Elen Protheroe ddim byd â Marc siŵr iawn. Hi sy'n byw yn 9 Victoria Gardens rŵan debyg iawn. Mae'n rhaid bod Marc yn arfer byw yno cyn Elen. Roedd hynny'n gwneud gwell synnwyr o lawer. Fysa actores enwog byth bythoedd mewn perthynas â dreifar bys, na fysa?

Codais oddi ar y gwely ac mi es i am fath. Yna ffoniais i *room service* ac ordro rhywbeth i'w fwyta. Es i i 'ngwely yn weddol fuan wedyn, roedd y daith a'r cynnwrf o weld yr actores yng nghyfeiriad Llundain Marc wedi bod yn ormod i mi. Doedd y gin a'r glasiad mawr o win ddim wedi helpu chwaith. Ro'n i'n cysgu cyn deg.

Deffrais. Edrychais ar fy ffôn. Chwarter i bedwar yn y bore. Roedd rhaid i mi fynd yn ôl i 9 Victoria Gardens i wneud yn siŵr. Roedd rhaid i mi gael cadarnhad un ffordd neu'r llall a oedd yna gysylltiad neu beidio rhwng yr Elen Protheroe yma a Marc. Be tasa fo mewn perthynas efo hi a'u bod nhw'n cyd-fyw? Ai fo oedd tad y babi yn y goets? Ar adegau fel hyn ro'n i'n diawlio nad o'n i'n ffan o gylchgronau fel *Hello!* ac *OK!* Mi fyswn i'n hyddysg wedyn yn y newyddion diweddaraf am y selébs, pwy oedd efo pwy a phwy oedd wedi cael babi ac ati.

Dychmygais spred dwy dudalen, o leiaf: Marc yn gwisgo *chinos* a chrys *linen* gwyn, ei fraich yn gariadus dyner rownd ysgwydd Elen a honno'n droednoeth mewn ffrog wen hir lac, yn union fel rhyw dduwies Roegaidd yn magu'r babi bach delaf welsoch chi erioed.

Rhyw hen feddyliau hyll fel hyn oedd yn carlamu drwy fy meddwl i am chwarter i bedwar yn y bore. Chysgais i'r un winc wedyn. Mi fues i'n troi a throsi hyd nes iddi wawrio.

Os o'n i'n nerfus y diwrnod cynt, ro'n i fel gafr ar daranau'r bore hwnnw yn y tacsi. Beth fyddai Elen Protheroe yn ei feddwl o weld dynes hollol ddiarth yn sefyll ar ei stepen drws hi? Ma'n siŵr y byddai'n meddwl mai rhyw ffan gwbl wallgof o'n i. O'n i'n gobeithio y bysa'r ffaith fod gennym ni rywbeth yn gyffredin, sef ein bod ni'n ddwy Gymraes ac yn siarad iaith y nefoedd, yn helpu rhywfaint ar y sefyllfa. Dim ond gobeithio nad oedd gennym ni rywbeth arall yn gyffredin hefyd, sef Marc Jones.

Mi gymerodd hi hydoedd i ni gyrraedd 9 Victoria Gardens y bore hwnnw o gymharu â'r prynhawn cynt. Gwaetha'r modd, roedd damwain newydd ddigwydd mewn stryd gyfagos. Roedd rhywun newydd gael ei daro gan fws dybl decar. Damwain ddifrifol iawn, fyswn i'n ei ddeud, yn ôl yr holl geir heddlu a'r ddau ambiwlans. Bu rhaid i'r tacsi gymryd sawl gwyriad o'r herwydd. Ond o'r diwedd dyma gyrraedd y stryd. Edrychais ar y drws glas tywyll dros y ffordd. Doedd neb yn dod allan o hwnnw bore yma. Ar ôl talu i'r dreifar camais allan i'r stryd.

Roedd hi'n fore Dydd Llun tawel i drigolion Victoria Gardens. Roedd y rhai oedd yn gweithio yn y ddinas wedi hen fynd i'w swyddfeydd (roedd hi'n amlwg mai dim ond pobl felly fyddai'n gallu fforddio byw yn y ffasiwn ardal hyfryd). A hithau'n ddechrau gwyliau'r haf, roedd yr iymi mymis yn cael brêc haeddiannol o ddanfon eu hepil i'r feithrinfa neu'r ysgol breifat yn eu 4x4s.

Croesais y stryd a sefyll o flaen rhif naw. Rhewais. Ro'n i'n ormod o gachwr i agor clicied y giât heb sôn am ganu cloch y drws. Cerddais yn fy mlaen heibio'r tŷ i ben draw'r stryd cyn cerdded yn fy ôl at y tŷ eto yn ceisio magu digon o blwc i ganu'r gloch. Ond methais a cherddais yn fy mlaen unwaith eto i ben draw'r stryd. Ond ar ôl gwneud hyn gwpl o weithiau sylwais fod un neu ddau o'r bobl ro'n i'n eu pasio yn dechrau edrych arna i'n od ac yn amheus, fel taswn i'n lleidr pen ffordd. Callia, Nina. Cana'r blydi gloch 'na, ceryddais fy hun. Pan lwyddais i o'r diwedd i agor y giât a cherdded at y drws, roedd fy nghalon yn drybowndian.

Pan o'n i ar fin pwyso'r gloch agorodd y drws yn wyllt. Elen oedd yno yn sgwrsio ar y ffôn a'r babi'n crio ar y fraich arall. (Taswn i ddim yn gwybod yn well, fyswn i'n taeru ei bod hi'n fy nisgwyl i.) Er mawr sioc a syndod gwenodd arna i'n glên (roedd hi hyd yn oed yn dlysach mewn bywyd go iawn nag oedd hi ar y sgrin) a gwthiodd y bychan i 'mreichiau i. Gwnaeth ystum arna i i fynd i mewn i'r tŷ a chaeodd y drws ar ein hôl. Daliodd hithau ymlaen i sgwrsio ar y ffôn. Arweiniodd fi i mewn i'r lolfa olau fawr fodern braf. Doedd nemor ddim dodrefn yn y stafell ar whân i glamp o sgrin deledu fawr a dwy soffa wen anferth. Mae'n siŵr bod y clinar yn mynd drwy boteli o'r stwff Vanish yna yn trio cadw'r soffas yn lân efo babi'n cropian o'u cwmpas, meddyliais wrthyf fi fy hun.

'Beth oedd y dyddiad 'to?... So fe'n clasho gyda ffilmio *Sgwrs Dan y Lloer* yw e?... O, gwd. Wy'n rili dishgwl mla'n i hwnnw. Wy 'di prynu *patio heater* newydd yn barod. Sdim gwerth o wres yn y *fire pits* 'na a no we wy'n mynd i arogli o fwg am ddyddie wedyn. Ti wedi gweud 'ny wrth y tîm cynhyrchu, dofe? A wy am neud *Bellini* coctel i Elin a fi. Ni'n mynd i ga'l cyment o sbort.'

Er fy mod i'n ddieithryn llwyr i'r bychan, drwy ryw ryfeddol wyrth roedd wedi ymdawelu yn ddigon del ac yn cymryd diddordeb mawr yn y gadwyn aur oedd gen i o gwmpas fy ngwddf. Gwenodd Elen yn glên arna i eto. Rowliodd ei llygaid a phwyntio at ei mobeil.

'Rhaglen Graham Norton?... Ond wy wedi gwrthod

unweth yn barod… Sdim ots 'da fi fod Graham rili moyn fi ar y *show*. Ma fe'n gwybod gormod ambytu fi'n barod! Grynda, odi tîm *Beti a'i Phobol* wedi cysylltu 'da ti?… Naddo? Wel, wy rili moyn mynd ar y rhaglen, olréit? Wedyn, os y'n nhw'n ffono cansla beth bynnag arall sy 'da fi. Ma Beti'n bwysicach. Reit, wy'n goffod mynd nawr. Ma'r nani newydd wedi lando. O'r diwedd.'

Bu bron iawn i mi ollwng y bychan pan glywais i be oedd hi newydd ei ddweud. Pam yn y byd mawr roedd Elen Protheroe wedi cymryd mai fi oedd y nani newydd?

Daeth Elen â'r sgwrs i ben a throdd ei sylw ata i gan wenu'n glên. Roedd ganddi resiad o ddannedd perffaith syth claerwyn a gwefusau llawn. Am eiliad dychmygais Marc yn snogio'r gwefusau meddal. Gwthiais y llun o 'meddwl yn syth.

'Wy'n gweld bo chi'ch dou wedi bondo'n barod.'

Daeth llais yr actores â fi'n ôl at fy nghoed.

'Reit,' medda hi wedyn yn dal i wenu. 'Neis i gwrdd â ti, Nia'.

Wnaeth hi ddim gwneud unrhyw ymgais i gymryd y bychan yn ôl. Roedd o'n tynnu'n o hegar ar y gadwyn am fy ngwddw erbyn hyn ac roedd gen i ofn am fy mywyd iddo ei thorri hi, neu'n waeth, fy nghrogi.

'Nina,' cywirais hi'n syth. 'Nina ydw i. Ma arna i ofn fod 'na gamddealltwriaeth mawr wedi bod. Ddim y na…'

'O, paid becs,' torrodd Elen ar fy nhraws. Trodd ei chefn arna i ac estyn am y siaced ddenim oddi ar fraich y soffa. Gwisgodd hi amdani fel tasa hi ar gychwyn allan. 'Mam o'dd wedi camglywed eto, sbo. Ma hi'n fyddar fel postyn ond mae'n pallu'n deg â gwisgo *hearing aid*. Reit 'te, Nina,' meddai hi gan bwysleisio fy enw. 'Rhaid i mi weud, o'n i 'n meddwl y byddet ti'n ifancach 'fyd. Beth bynnag, ma popeth lawr yn y *manual* i ti.' Chwifiodd ffolder plastig trwchus o flaen fy nhrwyn i. 'Amser bath ac amser gwely. O'dd y nani flaenorol yn neud *baby led weaning* gyda fe. Os wnei di gario mla'n 'da hynny plis. Os o's 'na broblem ma fy rhif mobeil i yna hefyd. Fydda i'n ôl ymhen deuddydd. Blydi *night shoots*. Wy'n casáu nhw. Ma 'na ddigonedd o fwyd yma hefyd. Helpa dy hun i beth bynnag ti moyn.' Pingiodd ei ffôn symudol, ciledrychodd arno'n sydyn. 'Co fe, ma'n Uber i 'di cyrraedd. O'n i'n dechrau panico ble oeddet ti gweud y gwir, ma 'nhrên i'n mynd am chwarter i ddeuddeg. Pam bo nhw'n goffod ffilmio mewn rhyw gastell yn nhwll tin yr Alban, sa i'n gwbod. Ta ta, Walter cariad, Mami'n caru ti.'

Cusanodd y bychan ar dop ei ben moel. Doedd Walter bach ddim i'w weld yn hitio rhyw lawer bod ei fam ar fin ei adael am ddeuddydd. Roedd ganddo fwy o ddiddordeb yn fy nghlustlysau erbyn hyn.

'Ond ddim y nani...' ceisiais weiddi'n ofer eto wrth iddi ddiflannu ar dân gwyllt drwy'r drws ffrynt, yn tynnu cês mawr coch ar ei hôl. Cês oedd wrth y drws yn barod ond nad oeddwn i wedi sylwi arno ar fy ffordd mewn. Caewyd y drws yn glep. Yna aroglais ryw hen oglau drwg annymunol iawn. Giglodd Walter gan edrych i fyw fy llygaid yn ddireidus. Ych a fi, mi roedd y topyn bach newydd lenwi ei glwt.

MYFI SY'N MAGU'R BABAN

A DYNA CHI sut y ffeindiais i fy hun yn nani i Walter bach. (Pwy ddiawl sy'n galw ei blentyn yn Walter dyddiau yma, dwch?) O'n i ddim yn gallu credu'r peth. O'n i'n meddwl fy mod i mewn hunllef ac y byddwn i'n deffro unrhyw funud. Sut yn y byd mawr o'n i wedi cael fy hun yn y ffasiwn sefyllfa?

Wir i chi, ches i fawr o ddewis. Er i mi dirio esbonio i Elen nad y nani newydd o'n i, mi ddiflannodd honno drwy'r drws ar gyfer ei *night shoot* megis seren wib. Yr unig gysur oedd y dylai'r nani go iawn gyrraedd unrhyw funud. Roedd honno'n saff o fod ar ei ffordd. Mae'n rhaid ei bod hi wedi cael ei dal mewn traffig, neu wedi colli ei bws neu ei thrên. Ond byddai hi'n siŵr o landio. Ro'n i am esbonio wrth honno am y camddealltwriaeth a throsglwyddo'r hen Walter i'w dwylo profiadol ac wedyn ei gluo hi o'na.

Cariais y ffwlbart bach hyd braich i fyny'r grisiau i'w nyrseri er mwyn ei ymgeleddu. Er fy mod i wedi hen arfer efo'r hen blantos bach yn y dosbarth derbyn yn cael ambell i ddamwain a *diarrhoea*, roedd cynnwys clwt Walter ymysg y gorau eto. Doedd dim amdani ond rhoi bath i'r creadur. Ar ôl ei folchi, rhoi clwt a dillad glân amdano aethom ni'n dau yn ôl i lawr y grisiau. Roedd hi'n amser cinio bellach. Doedd dal ddim siw na miw o'r nani.

O'n i'n gyfarwydd â'r term *baby led weaning*, ro'n i wedi clywed Linda'n sôn rhyw dro bod ei chwaer yn ei wneud efo'i hogan fach hi, ond doedd gen i ddim syniad beth yn union oedd o. Doedd dim amdani ond troi at ffynhonnell pob gwybodaeth, Google.

Tra eisteddai Walter yn ei gadair uchel yn chwarae efo'i deganau ac yn fy ngwylio i efo un llygad, stemiais ychydig o datws melys, moron a brocoli ar ei gyfer. Torrais ychydig o fefus, mango a banana mewn powlen yn bwdin iddo. Wrth stemio'r llysiau, mi fues i'n chwilio a chwilota yn y cypyrddau, a'r rhewgell, am rywbeth i ginio i mi fy hun. Er bod digonedd o lysiau a ffrwythau ar gyfer Walter, yn anffodus doedd 'na fawr o luniaeth ar gyfer oedolyn chwaith heblaw am baced o reis brown, paced o rywbeth a elwir yn cwinoa, beth bynnag oedd hwnnw, llwyth o gnau a hadau, tofu, caws fegan a dwy botel o siampên Moët & Chandon. Doedd dim amdani ond stemio mwy o lysiau.

O'n i ddim yn ffan o gwbl o'r ffad *baby led weaning* yma. Welsoch chi erioed ffasiwn lanast, lats bach! Roedd mwy o fwyd ar y llawr nag ym mol Walter bach. Roedd ei wallt, hynny oedd ganddo, yn llawn tatws melys. Mi stwffiodd fwy o frocoli i fyny ei drwyn nag yn ei geg. Roedd fy nhop yn staen mefus a banana i gyd ar ôl i Walter benderfynu ei fod o'n hwyl garw i luchio'r ffrwythau mwshlyd i fy nghyfeiriad i. Bath arall fuodd hi wedyn.

Tra aeth Walter am nap yn ei got, mi fues innau'n mopio a golchi llawr y gegin gan wneud nodyn i fi fy hun i atgoffa'r nani i roi hen bapur newydd neu beth bynnag ar y llawr adeg bwydo'r bychan. Lle gebyst oedd hi? Roedd ganddi le mawr i ddiolch i mi beth bynnag am gyrraedd pryd wnes i a chamu i'r bwlch. Hi ac Elen Protheroe, tasa hi'n dŵad i hynny. Mi fysa Elen wedi colli ei thrên fel arall. Es i ar y we wedyn i jecio amseroedd y trên yn ôl i Fangor. Roedd yna drên syth drwodd am ddeg munud wedi pump. Byddai honno'n siwtio'n grêt.

Chwarter i dri. Doedd dal ddim siw na miw o'r nani. Yna trawodd fi fel gordd. Doedd hi ddim yn dod. Mi fyddai hi wedi hen gyrraedd bellach. Be ar wyneb y ddaear o'n i'n mynd i'w wneud? Ro'n i wedi cael fy ngadael i ofalu am fabi dieithr. Babi i actores enwog ac yn Llundain o bob man. Codais yn wyllt a mynd i chwilio am rif mobeil Elen i'w ffonio i gyfaddef beth oedd wedi digwydd. Cyfaddef wrthi mai dim y nani o'n i ond doedd dal ddim golwg o'r un iawn. Tybed oedd 'na rywun arall yn gallu gofalu ar ôl Walter tra roedd hi i ffwrdd? Ffrind, neu ei mam, ro'n i'n cofio iddi sôn am honno a'i bod yn drwm ei chlyw.

Deialais y rhif. Aeth syth i'r peiriant ateb. Damia. Gadewais neges.

'Helô, Nina, sy 'ma. Bob dim yn iawn, wel, nac ydi ddim cweit. Ond mae Walter bach yn tsiampion, paid â phoeni amdano fo. Mae o'n cael nap ar hyn o bryd. Ond plis ffonia fi. Diolch. Ta ra.'

Y peth diwethaf o'n i eisiau ei wneud oedd panicio Elen (ro'n i'n panicio digon fy hun) ac iddi feddwl bod yna rywbeth wedi digwydd i Walter. Ond o'n i'n gobeithio y byddai hi'n fy ffonio i yn ôl reit handi.

O'n i'n cicio fy hun am gael fy hun i'r ffasiwn lanast. Chwilio am Marc o'n i a dyma fi wedi landio'n nani. Do'n i'n dal ddim callach chwaith oedd yna gysylltiad rhwng Elen a Marc. Yn sicr doeddwn i ddim wedi gweld unrhyw arwydd o'i fodolaeth yn 9 Victoria Gardens hyd yma. Penderfynais fynd i fusnesu mwy o gwmpas y tŷ gan daro fy nhrwyn yn y nyrsyri ar fy ffordd.

Doedd 'na fawr o luniau na dim yn y lolfa wen, heblaw am lun enfawr uwchben y soffa o Elen mewn rhyw wisg ganoloesol urddasol a wig ddu i lawr at hanner ei chefn a llun du a gwyn diweddar digon o ryfeddod ohoni hi a Walter bach, ond doedd dim lluniau o'i dad chwaith, pwy bynnag oedd hwnnw.

Camais i fyny'r grisiau'n dawel, roedd Walter bach yn dal i gysgu'n sownd a'i ddwy fraich fach ar led. Agorais ddrws un o'r ystafelloedd gwely. Tybiwn yn gywir mai hon oedd stafell y nani. Roedd y stafell wedi'i haddurno'n chwaethus ac yn fodern a sylwais hefyd fod ganddi *en suite* bach. Sylweddolais bryd hynny nad oeddwn i wedi pi pi ers ben bore felly manteisiais ar y cyfle. Wedyn camais i mewn yn dawel i'r brif stafell wely oedd ym mlaen y tŷ, sef stafell wely Elen Protheroe.

Un darn o gyngor prin ges i gan Anti Eirlys oedd fy mod i wastad i wneud fy ngwely. Dwi'n ei chofio hi'n dweud wrtha i, 'Sdim byd gwaeth, Nina bach, na gwely heb ei wneud. Mae'r stafell yn edrych yn daclusach yn syth bin ar ôl i ti wneud dy wely, cyw.'

Mae'n amlwg nad oedd yr un a enwebwyd am dri Emmy ac un Oscar, oedd yn enillydd dau BAFTA heb sôn am fod yn enillydd gwobr BAFTA Cymru, wedi derbyn ffasiwn gyngor. Roedd mynydd o ddillad a thywelion tamp yn gorchuddio'r dwfe claerwyn *broderie anglaise* a hwnnw strim-stram-strellach ar draws y gwely. Wrth ddisgwyl i Elen fy ffonio'n ôl dechreuais dacluso'r stafell. Taclusais y gwely, rhoi'r tywelion tamp yn y fasged olchi a hongian y twmpath dillad yn dwt yn y wardrob anferth. Wardrob yr oeddech chi'n gallu cerdded i mewn iddi'n llythrennol. Wir i chi, mi roedd hi fel camu'n union i mewn i siop Zara. Fel yn yr ystafell folchi, doedd 'na'm arwydd o fodolaeth dyn yn fan hyn chwaith.

Clywais fwmian crio ysgafn Walter. Roedd o wedi cysgu am dros ddwy awr yn braf. Gwenodd pan welodd fi'n sefyll uwchben ei got. Codais o'n ofalus i 'mreichiau. Gwenais innau yn ôl arno. Roedd o'n fabi bach mor annwyl. Dyfalais ei bod hi'n bryd newid ei glwt unwaith eto. Dyfalais yn gywir. Diolch i'r nefoedd mai dim ond clwt gwlyb oedd yna y tro hwn. Tra ro'n ei newid, craffais yn ofalus ar y bychan. Daliai i wenu a giglan yn fodlon arnaf. Ddarllenais i'n rhywle bod babis yn tueddu i edrych yn debyg i'w tad er mwyn creu cyswllt agos rhwng y ddau. Wn i ddim os ydi hynny'n wir neu beidio. Efo'i ben moel, ei lygaid mawr gwyrddlas a'i wên ddiddanneddd, heb sôn am ei gorff bach llond ei groen, allwn i ddim yn fy myw weld unrhyw debygrwydd rhyngddo fo a Marc.

Aeth y ddau ohonom ni lawr y grisiau a gosodais Walter i eistedd ar ei fat lliwgar ynghanol ei deganau yn yr ystafell chwarae, a oedd drws nesaf i'r lolfa. Roedd yn fabi bach mor llon a bodlon. Dychmygais am eiliad mai fy mabi i oedd o. Dychmygais mai y fi oedd yn byw yn y tŷ mawr crand yma. Tarfwyd ar y ffantasi gan ganiad fy mobeil. Ymddangosodd rhif dieithr ar y sgrin. Tybiais yn gywir mai rhif Elen oedd o.

'Hai, ti wedi ffonio? Bob dim yn iawn? Ydi Walt yn ocê?' gofynnodd yn wyllt.

'Yndi, tad, mae Walter yn tsiampion. Ond ma 'na...'

'Wnaeth e fwyta ei ginio? Be roist ti iddo fe?'

'Ym... tatws melys a brocoli. Ond be dwi angen ddeud...'

'O ie, gwd, ma fe'n licio tatws melys...'

'Y rheswm o'n i'n ffonio...' triais eto.

'Beth? Sai'n dy glywed ti'n dda iawn... ma'r signal yn uffernol.'

'Y rheswm dwi'n ffonio ydi... Wel, dwi ddim yn gwybod yn iawn sut i ddeud hyn...' medda fi eto yn araf a chlir er mwyn iddi fy neall i.

'Beth?'

'Dwi'm yn gwbod sut i ddeud hyn ond...'

'Shit!' torrodd Elen ar fy nhraws unwaith eto. Weles i erioed neb am dorri ar draws cymaint yn fy myw. 'Sai wedi cael dy fanylion banc di, odw i? Tecstia nhw ata i. Sori, ond ma popeth wedi digwydd mor glou 'da Catherine yn gorfod gadael fel gwnaeth hi.'

'Be? Na, na... ddim dyna pam...'

'Shgwl, rhaid i mi fynd, wy ar fy ffordd mas i swper. *Coming now*, Regé. Rho gusan mawr i Walt trosof i.'

Roedd hi wedi mynd. Syllais yn fud ar y ffôn yn fy llaw. Dyma beth oedd diffiniad o lanast.

FFRIND NEWYDD

L ICIO FO NEU beidio ro'n i'n styc yn Llundain am dridiau yn edrych ar ôl babi actores enwog. Roedd o'n union fel petawn i wedi ffeindio fy hun mewn rhyw ffilm gomedi wael.

Er nad o'n i cweit wedi arfer gwarchod babis mi ro'n i'n edrych ar ôl plant bob dydd yn fy ngwaith fel cymhorthydd. Mi oedd gen i gymhwyster Lefel 2 mewn gofal plant a datblygiad plentyndod. Ceisiais gysuro fy hun na fyddai gwarchod un babi fawr anoddach na bod yn gymhorthydd a gorfod edrych ar ôl llond dosbarth o blant bach.

Tecstiais Linda a Heulwen i ddweud fy mod i wedi picied i Lundain am ychydig o ddyddiau.

Atebodd Linda yn ei hôl yn syth bin.

'W, braf iawn. Mwynha dy hun. Paid â gwario gormod! Wyt ti am fynd i weld sioe neu rywbeth?'

Oedd o reit ar flaen fy nhafod i ddweud fy mod i wedi landio fy hun mewn ffars go iawn, ond callo dawo, meddyliais. Fysa hi ddim yn fy nghoelio i beth bynnag.

A finnau heb dalu am barcio ond am bedair awr ar hugain yn unig yn y stesion, sylweddolais efo calon drom y byddai gen i ddirwy fawr i'w thalu. Gyda chalon drymach fyth sylweddolais mai dim ond dau nicer ro'n i wedi dod efo fi. Roedd hi'n edrych yn bur debyg y byddai'n rhaid i mi wneud ychydig o siopa dillad. A thaswn i wedi bod mor hy â benthyg dillad Elen (fyswn i byth wedi gwneud) doedd dim gobaith caneri iddyn nhw fy ffitio. Mi fysa dwy goes Elen yn gallu ffitio i mewn i un goes fy jîns i.

Gwglais y Marks & Spencer agosaf ac er mawr ryddhad mi roedd yna un ryw dafliad carreg o'r parc. Strapiais Walter yn ei bram ac i ffwrdd â ni i brynu dillad isaf. Tra o'n i yno hefyd mi brynais i ambell i bryd parod, peint o lefrith, hanner dwsin o wyau a thorth fach i 'nghadw i i fi fynd.

Ar y ffordd yn ein holau ac am ei bod hi'n bnawn braf, penderfynais fynd am dro i'r parc gerllaw. Roedd yn lle hyfryd, yn fan tawel braf o gymharu â bwrlwm a phrysurdeb y stryd tu allan i'w derfynau. Roedd gwyrddni'r coed, y llonyddwch a'r tawelwch yn fy atgoffa i o adref.

Gwthiais Walter yn ei bram gan ddilyn y llwybr o amgylch y parc. Gwenais wrth weld gefeilliaid yn dod i fy nghyfarfod efo'u sgwters bach pinc a glas. Doedden nhw ddim mwy na ryw bump neu chwech, dwi'n siŵr. Wedyn pasiais griw oedd yn cynnal parti pen blwydd ar y gwair. Roeddynt wedi mynd i drafferth, chwarae teg, efo'u balŵns a'u *bunting* yn hongian o ddwy gangen gyfleus gerllaw. Yn chwys domen dail roedd clown yn ceisio'n ofer i ddiddanu'r gwahoddedigion oedd yn sgrechian a rhedeg o gwmpas y lle'n wyllt ar ôl oferdôs o siwgr.

Gerllaw, roedd band yn chwarae cân joli yn y band stand gan godi calon rhywun yn syth. Sylwais fod 'na gwt coffi a hufen iâ lawr y llwybr ar y chwith imi. A hithau'n bnawn poeth braf meddyliais y byddai hufen iâ yn dderbyniol iawn. Ar ôl ordro cornet o hufen iâ mefus i fi fy hun a chornet bach gwag i Walter es i draw i eistedd ar fainc gerllaw i wylio'r byd a'i bethau'n pasio heibio. Mwynhaodd Walter bach ei gornet yntau.

'Hi, Walter buddy,' cyfarchodd llais benywaidd y bychan.

Troais fy ngorwelion i gyfeiriad y llais. Safai merch ifanc o dras Asiaidd o fy mlaen. Gwenai'n glên ar Walter, yn amlwg yn ei adnabod o'n dda. Gwthiai *stroller* lliw brown efo logo Fendi ar ei hyd. Wyddwn i ddim tan hynny fod y tŷ ffasiwn hwnnw yn cynhyrchu prams. Cysgai hogyn bach tua'r un oed â Walter tu mewn. Synnwn i damaid ei fod yntau wedi'i wisgo o'i gorun i'w sawdl mewn Fendi hefyd.

'Hi, you must be Walter's new nanny,' meddai gan wenu glên arna innau.

Stopiais lyfu fy eis crîm. 'Wel, no... yes... yes I am. Wel, for the time being, at least,' medda finnau yn fy Saesneg gorau.

Edrychodd y ferch yn ddryslyd arnaf am eiliad. Yna gwenodd drachefn. Yna heb ofyn na dim eisteddodd i lawr wrth fy ochr ar y fainc.

'Hi, I'm Soriya,' meddai hi. 'Toby's Nanny, I used to be friends with Catherine, who used to be Walter's Nanny? Unfortunately she had to rush back home to Nuneaton, some family crisis or other?' Sylwais ei bod yn mynnu gorffen pob brawddeg fel petai'n gofyn cwestiwn. Beth bynnag am hynny o leiaf ro'n i wedi cael eglurhad be ddigwyddodd i'r nani flaenorol.

'Hi, I'm Nina, nice to meet you, Soriya,' atebais yn trio fy ngorau glas i fwyta fy eis crîm yn sidêt a chynnal sgwrs ar yr un pryd.

'How are you settling in?' holodd yn glên. 'Walter is adorable, isn't he? Such a poppet. I wish Toby was as well behaved. He's an absolute nightmare, won't take any naps at all in the daytime, and the tantrums? God knows what he'll be like when he's two. Hey, we should meet up for coffee sometime? Catherine and I used to meet up all the time. If you like of course. No pressure?'

'Yes, that would be very nice, thank you,' medda finnau.

'*It was lovely meeting you, Nina. See you later.*' Cododd y nani a chychwyn gwthio'r pram ddrudfawr o'i blaen.

A dyna fi'n cael brenwef.

'*How about tomorrow? We could meet here for coffee?*' cynigiais.

Stopiodd Soriya wthio'r Fendi. Pan droiodd hi rownd roedd gwên fawr lydan ar ei hwyneb eiddil. '*Yeah! That would be great! Amazing!*'

'*What time would suit you?*' gofynnais.

'*Anytime. Shall we say around eleven?*' cynigiodd Soriya wedyn.

'*See you here at eleven, then.*'

Gwenais yn ôl ar fy ffrind newydd.

'*Absolutley! Amazing. Bye then,*' meddai Soriya gan gerdded i ffwrdd a dwi'n siŵr fod yna ryw sioncrwydd newydd yn ei cherddediad. Dwi'n amau'n gryf fod Soriya'n reit unig yn y ddinas fawr a bod ganddi dipyn o hiraeth ar ôl ei chyd-nani Catherine. O'n i'n amau hefyd ei bod hi'n fy ngweld i fel ffrind posib i gymryd lle Catherine. Digon teg, doedd hynny'n poeni dim arna i. Mi roedd hi'n edrych yn ferch ddigon annwyl. Gallai hi hefyd fod yn ddefnyddiol iawn. Ella y bysa hi'n gallu taflu ychydig o oleuni ar fywyd personol Elen Protheroe. Siawns fod hi a Catherine yn siarad, doedden? Fy ngobaith i oedd y byddai'n gallu datgelu wrtha i pwy oedd tad Walter bach. A bore fory am un ar ddeg, ar ôl prynu coffi i fy ffrind newydd, byddwn yn cael cyfle i'w holi hi. Pwy a ŵyr, efallai bod Soriya hyd yn oed wedi cyfarfod â Marc.

AI SBEI

Roedd Soriya a Toby yn disgwyl amdanom ni'r bore canlynol yn y cwt coffi. Mi roedd hi'n tynnu am ddeg munud wedi un ar ddeg ar Walter a finnau'n cyrraedd. Yn anffodus mi gawsom ni gwpl o *false starts* y bore hwnnw. Doedd yr hen Walter bach ddim yn ei hwyliau o gwbl. Wn i ddim os mai hel dannedd oedd o (mi oedd ei foch o'n goch) neu hiraethu am ei fam. Fe wrthododd yn lân â bwyta ei frecwast a finnau wedi mynd i drafferth i wneud omlet bach iddo fo a'i dorri'n stribedi culion, yn union yn ôl y cyfarwyddyd ar un o daflenni Catherine, y cyn-nani, a oedd wedi'i lamaneiddio'n daclus. Lluchiodd yr omlet a'r plât ar y llawr a dyna lle fues i wedyn ar fy ngliniau am hydoedd yn chwilota am ddarnau o omlet a darnau o'r plât (nodyn i fi fy hun i gofio rhoi plât plastig i'r bych y tro nesaf) tra roedd Walter yn bloeddio crio yn ei gadair uwch fy mhen i. Mi gawsom ni hefyd ddau glwt budur cyn cychwyn.

Ordrais *latte* mawr i fi fy hun ac mi ordrodd Soriya hithau caramel *latte* efo llefrith ceirch. Roedd hwyliau gwell ar Walter erbyn hyn diolch byth a bellach mi oedd o'n cysgu'n braf yn ei bram. Wedi ymlâdd ar ôl yr holl sgrechian a'r crio'n gynharach, mwn. Mi gafodd y ddwy ohonon ni lonydd felly i siarad.

Cyn i mi gymryd dau sip o fy *latte* mi ro'n i wedi cael hanes bywyd Soriya i gyd bron. Un o ochrau Weymouth oedd hi ac wedi bod yn gweithio fel nani ers sawl blwyddyn. Teulu

Toby oedd ei hail gyflogwr yn y ddinas. Pan ges i gyfle i roi fy mhig i mewn soniais mai hon oedd fy swydd gyntaf i fel nani a fy mod i wedi bod yn gweithio fel cymhorthydd dosbarth am flynyddoedd cyn hynny ond mod i ffansi newid. Wel, mi roedd hanner be o'n i'n ei ddweud yn wir, doedd, dim ond yr hanner arall oedd yn gelwydd.

Yn gyfleus iawn, doedd dim rhaid i mi holi dim ar Soriya. Tasa hi yn nwylo'r KGB fysa hi ddim wedi chwydu gwybodaeth cystal. Ges i wybod bod Mam Toby'n rhedeg oriel gelf a bod ei dad yn gweithio yn y ddinas.

'Between you and me, I think Catherine thought she would meet other famous actors being a nanny to Elen Prothere. But she hardly met any. I think she was a little disappointed,' datganodd Soriya.

Dwi'n amau ei bod hi wedi datgelu hyn wrtha i rhag ofn fy mod i'n meddwl fy mod i'n mynd i gael cyfle i gyfarfod a chymdeithasu efo sêr y byd ffilmiau.

'Well, I'm sure Elen likes to keep her professional and personal life seperate,' medda finnau. *'Speaking of her personal life, is Elen in a relationship now?'* mentrais ofyn, yn trio swnio fel tasa gen i fawr o ots tasa hi neu beidio.

'I don't think so,' meddai Soriya gan lowcio ei charamel *latte* efo llefrith ceirch yn swnllyd.

Wnes i ddim ymateb er mwyn iddi gael cyfle i ymhelaethu. Ac wrth gwrs mi wnaeth hi. Yn ôl Catherine, ymhell cyn geni Walter mi roedd hi wedi clywed o rywle i Elen fod mewn perthynas efo rhywun oedd yn gweithio efo MI5 neu MI6, doedd Soriya ddim yn cofio pa un. Roedd Catherine, yn ôl Soriya, yn amau bod Elen wedi ffeindio allan mai sbei oedd o. O Rwsia, a dyna pam roedd y ddau wedi gwahanu. Wel, dyna oedd ei theori hi beth bynnag. Penderfynais fod gan Catherine a Soriya ddychymyg byw iawn.

'*But the spy wasn't Walter's father?*' gofynnais wedyn.

'*Oh no,*' meddai hi gan lowcio'n swnllyd unwaith eto. '*Walter's dad is a cameraman that she met on the set of one of her films after she broke up with the Russian spy. Catherine thinks it was a one night drunken fling. Clearly on the rebound.*'

Cytunais efo damcaniaeth Catherine.

Deffrodd Toby o'i nap wedyn gan ddeffro Walter. Roedd ein llonyddwch ar ben a rhaid oedd tendio at ein babis. Cynigiodd Soriya ein bod ni'n dwy i gyfarfod yr un lle a'r un amser yr wythnos ganlynol, os nad oedd hi'n bwrw glaw, wrth gwrs. Rhoddodd ei rhif ffôn i mi a gofynnodd am fy rhif ffôn innau, rhag ofn byddai rhywbeth yn codi a'n bod yn gorfod newid ein planiau. O'n i ddim eisiau cymhlethu pethau drwy ddweud wrthi y byswn i'n ôl yn Llanbedrgoch erbyn hynny.

Wrth gerdded yn ôl o'r parc i gyfeiriad 9 Victoria Gardens ro'n i'n teimlo braidd yn annifyr nad o'n i wedi bod yn gwbl onest efo Soriya. Roedd hi'n ferch ddymunol a chlên iawn a dwi'n siŵr o dan amgylchiadau gwahanol y bysen ni wedi gallu dod yn ffrindiau da iawn. Ond cysurais fy hun, o leiaf ro'n i'n gwybod rŵan nad Marc oedd tad Walter.

Fel ro'n i ar fin tynnu Walter o'i bram ar ôl cyrraedd y tŷ, a meddwl pa ddanteithion o'n i'n mynd i wneud i ginio iddo, daeth sŵn o fyny grisiau. Sŵn fflysio'r tŷ bach. Ro'n i ofn drwy 'nhin ac allan. O'n i'n gwybod nad Elen oedd yna, mi roedd hi wedi FfesTeimio ynghynt cyn iddi fynd ar y set er mwyn cael dweud bore da wrth Walter a dweud y byddai hi adref y diwrnod canlynol.

Ella mai'r sbei o Rwsia oedd yna? Wedi dod yn ei ôl? Ella fod ganddo oriad yn ei feddiant o hyd? Dechreuodd fy nghalon guro'n gyflymach. Ro'n i ar fin ffonio'r heddlu pan glywais i swn cerddoriaeth yn dod o fyny grisiau. Es i waelod y grisiau a chlustfeinio. Cerddoriaeth Gymraeg! Camais i fyny'r grisiau'n dawel er mwyn gallu clywed yn well. Ia, cân Gymraeg oedd yn cael ei chwarae. Un o ganeuon Yws Gwynedd. Ella bod Elen wedi dod adref ynghynt, meddyliais wedyn. Ond na, mi fysa hi'n siŵr o fod wedi ffonio neu decstio i ddweud tasa hi. Yna clywais swn tagiad dyn. Yn bendant ddim Elen oedd i fyny'r grisiau felly. Clustfeiniais eto. Roedd swn rhywun yn cael cawod rŵan. O leiaf dim byrgler oedd yna, cysurais fy hun. Fysa byrgler ddim yn cael cawod, na fysa? Wel, heblaw bod ganddo ryw ffetish am lanweithdra. O'n i ddim yn gwybod be i'w wneud. Arhosais lle o'n i ar y grisiau am rai munudau cyn magu digon o blwc i gamu yn fy mlaen.

Fel o'n i'n cyrraedd top y landing agorodd drws yr ystafell ymolchi'n wyllt. Edrychodd y ddau ohonom ar ein gilydd mewn braw.

'Pwy ffwc wyt ti?' ebychodd perchen y llais dieithr gan afael yn dynn yn ei dywel o gwmpas ei wast.

BWJI AR GOLL

'**P**WY WYT TI?' gofynnais innau yn methu tynnu fy llygaid oddi ar y corff cyhyrog ffit dri chwarter noeth o fy mlaen i.

'Rhydian. Brawd Elen. Pwy yffach 'yt ti, 'te?'

'Nina. Dwi'n edrych ar ôl Walter tra mae Elen i ffwrdd.'

'Haia, Nina y nani,' gwenodd y cringoch. 'Soniodd Elen ddim ei bod hi wedi cael nani newydd, beth ddigwyddodd i'r hen un, 'te? Catherine, ife?'

'Wedi gorfod mynd yn ei hôl adra. Rhyw *emergency* teuluol am wn i. Nath Elen ddim sôn gair amdanat tithau chwaith,' medda finna'n ôl reit biwis.

'Wy'n aros 'da Elen bob tro wy'n ôl yn y wlad a phan ma 'da fi gyfarfod yn Llunden.'

'O, wela i.'

'Reit, wy'n mynd i wisgo.' Trodd i gyfeiriad y stafell sbâr. 'Dishgled fydde'n dda!' gwaeddodd cyn cau'r drws yn glep ar ei ôl.

'Gwna hi dy hun, y crinc powld,' mwmiais o dan fy ngwynt.

Wrthi'n plicio taten felys ar gyfer cinio Walter o'n i pan ddaeth Rhydian lawr y grisiau a drwodd i'r gegin. A dweud y gwir mi aroglais o cyn i mi ei weld o. Roedd yn gwisgo rhyw affftershêf ag oglau dymunol iawn. Oglau ffres ac ysgafn *bergamot* a choed cedrwydd. Mi roedd ganddo fo fwy amdano erbyn hyn, crys polo glas tywyll a *chinos* golau. Mi roedd ei wallt cringoch yn dal yn wlyb, sylwais.

'Sai'n gwybod amdanat ti ond wy 'bytu starfo,' medda fo. 'Wyt ti a Walt yn ffansïo dod mas am ginio? Wy'n gwbod am le sy'n neud *brunch* amasing sydd ddim yn bell o fan hyn.'

'Dim diolch. Dwi ond newydd ddechrau gneud cinio i ni'n dau,' medda fi gan roi'r pwyslais arnom ni'n dau. Rhag ofn iddo fo feiddio meddwl fy mod i'n rhedeg caffi.

'Dere mla'n, 'chan. Sai'n cael fawr o gyfle i dreulio amser 'da fy nai bach. Plis,' erfyniodd arna i gan wenu. 'Gwed 'tho hi am ddod, Walt.'

Ar y gair rhoddodd Walter wên fawr o'i gadair fownsio a dechrau giglan. Ar fy ngwaethaf cytunais yn gyndyn.

Dim ond rhyw ddwy stryd i ffwrdd oedd y caffi a hwnnw wedi'i leoli mewn *mews*, stryd oedd yn cael ei defnyddio fel stablau flynyddoedd yn ôl ond oedd bellach wedi'i thrawsnewid yn swyddfeydd a fflatiau. A hithau'n ddiwrnod cynnes braf buon ni ddigon ffodus i gael bwrdd tu allan. Ordrodd Rhydian a finnau'r *eggs Benedict* efo ham hock a sbigoglys a siâr ychwanegol o fadarch gwyllt i Rhydian. Cafodd Walter wy wedi ei sgramblio, efo piwrî tatws melys a thost bara surdoes. Dwi'n meddwl bod Walter wedi mwynhau cael cinio allan fel trît gan ei fod o wedi bwyta y cwbl i gyd heb unrhyw ffýs ac yn bwysicach fyth, heb fawr o lanast.

Fel ei chwaer doedd Rhydian chwaith ddim yn brin o eiriau, dros ginio bu'n sôn am ei waith yn Efrog Newydd, ei fod yn gweithio yno ers bron i dair blynedd fel Cyfarwyddwr Creadigol i asiantaeth hysbysebu.

'Sut wyt ti'n mwynhau byw yn Llundain?' holodd dros goffi. Ro'n i wedi ordro caramel *latte* efo llefrith ceirch i mi fy hun er mwyn dangos i Rhydian nad rhyw josgin o berfeddion Môn oedd ond yn yfed Nescafé o'n i. (Braidd yn felys oedd o gyda llaw).

'Dwi ond wedi bod yma ers deuddydd,' atebais innau. 'Ond ma fyma'n ardal neis iawn. Dwi wrth fy modd efo'r parc.'

'Ma Queen's Park yn lle hyfryd. Er nad ydi o'n cymharu â Central Park wrth gwrs. Wy'n lico mynd 'na i ga'l llonydd a tham bach o dawelwch o *buzz* a *craziness* Manhattan. Ti 'di bod yn Efrog Newydd?'.

Roedd o ar flaen fy nhafod i ddweud mai dim ond unwaith o'r blaen ro'n i wedi bod yn Llundain, ond calla dawo.

'Naddo, fyswn i'n licio mynd rhyw ddiwrnod. Mi fuodd Heulwen, ffrind i mi, yno yn dathlu ei phen blwydd ac mi o'dd hi'n deud ei fod o'n union fel bod ar set ffilm.'

Chwarddodd Rhydian, 'Odi ma fe, gweud y gwir. Gyda'r tacsis melyn a'r stêm yn codi o'r palmant, heb sôn am yr holl adeiladau eiconig. Ond buan iawn ti'n arfer.'

'Ia, ma siŵr, arfer ydi lot o bethau, 'te,' medda finnau. Edrychais ar fy wats. Yn ôl *manual* Catherine, roedd hi'n bryd i Walter gael ei nap. Mi roedd gen innau hefyd gant a mil o bethau angen eu gwneud cyn i Elen ddod yn ei hôl y bore wedyn, fel tacluso, golchi a smwddio dillad Walter, a mi o'n i am olchi'r pentwr o ddillad budur oedd yn gorlifo o fasged olchi Elen. O'n i am greu argraff dda fel nani Elen, er nad o'n i'n nani mewn gwirionedd, os dach chi'n dallt be sgin i.

'Well i ni ofyn am y bil, dwi'n meddwl,' medda finnau. 'Ma hi bron yn amser i Walter fynd i gysgu.'

Amneidiodd Rhydian ar y weityr a gofyn am y bil. Er i mi brotestio, mynnodd dalu dros Walter a finnau. Ro'n i'n teimlo mor annifyr. Fedrwn i ddim peidio â chymharu haelioni a charedigrwydd Rhydian hefo'r ffordd roedd Marc yn arfer ymddwyn.

'Fi sy'n talu, ocê? Nawr gad e. Fi berswadiodd ti i ddod mas am ginio 'da fi. A gweud y gwir, o'n i'n falch o'r cwmni. O'n i'n cofio dim bod Elen bant yn ffilmio wythnos 'ma. Lwcus bo 'da fi allwedd fy hunan. Reit, bant â ni, 'te. Ffansi wâc nôl drwy'r parc?'

A dyna be wnaethom ni. Mynnodd Rhydian wthio ei nai bach yn ei bram, roedd hi'n amlwg ei fod yn meddwl y byd o Walter. Tasach chi wedi'n gweld ni, byddech chi'n meddwl yn siŵr mai cwpwl oedden ni, yn mynd â'u mab bach am dro. Er nad oedden ni ond prin wedi cyfarfod â'n gilydd roeddem ni'n gyfforddus braf yng nghwmni ein gilydd. Mi fyddai Rhydian yn gwneud tad da rhyw ddiwrnod, meddyliais. Os nad oedd o'n rhiant yn barod, wrth gwrs, tarodd fi wedyn. Sylweddolais nad o'n i'n gwybod nemor ddim am ei fywyd personol.

'Sgin ti blant?' mentrais ofyn iddo.

'Nag o's,' chwarddodd Rhydian. Mi oedd o'n un oedd yn gwenu a chwerthin lot, sylwais, ac mi roedd hynny'n ei wneud o'n fwy golygus byth. 'Er, fydden i ddim yn meindio ca'l plant rhyw ddiwrnod chwaith. Ond rhaid i ni ffeindio menyw gynta.'

Mae'n rhaid bod Rhydian wedi sylwi ar yr edrychiad ddryslyd ar fy wyneb gan iddo fynd yn ei flaen i esbonio, 'Fydde'n rhaid i Tom, fy ngŵr, a finne ga'l *surrogate*.'

Fuodd fy *'gay radar'* i, chwedl Linda, erioed yn rhyw gywir iawn a waeth i mi gyfaddef ddim, mi ddaeth 'na don annisgwyl o siom drosta i. Rhyngoch chi a fi mi ro'n i wedi cymryd mymryn o ffansi tuag ato fo. Mi roedd hi'n anodd peidio efo'i gorff a'i bersonoliaeth atyniadol. Er na fysa rhywun o'i galibr o byth bythoedd yn sbio ar rywun fatha fi, wrth gwrs, hoyw neu beidio.

Beth bynnag am hynny, mi roedd o'n awyddus i fynd â Walter i mewn i'r gornel anifeiliaid yng nghornel bellaf y parc. Dwi'n meddwl mai defnyddio Walter fel esgus oedd o a'i fod o ei hun yn reit cîn i fynd i mewn i gael sbec ar y geifr, y cwningod, yr ieir a'r hwyaid. Ond o'r holl dda pluog oedd yno, y twrci oedd wedi plesio Walter fwyaf. Roedd y bych wedi dotio efo'r deryn.

'Ma Ifan Twrci Tenau fan hyn wedi ca'l dihangfa lwcus iawn. Ca'l byw fel brenin yn hytrach na cha'l ei din 'di stwffo 'da Paxo!' chwarddodd Rhydian.

'Ti'n iawn yn fanna,' chwarddais innau. 'Er ma'r Ifan yma yn bell o fod yn dwrci tenau, mae o'n amlwg yn cael lle da iawn.'

Dylyfodd Rhydian ei ên. 'O, sori, *jet lag* yn dala lan 'da fi. Wy 'di blino'n shwps. Wy'n credu y bu rhaid i fi fynd am nap fy hunan ar ôl mynd nôl i'r tŷ.'

Erbyn dallt, roedd awyren Rhydian wedi landio'n Heathrow tua hanner awr wedi naw y bore. Roedd o wedi teithio dros nos ond heb gael fawr o gwsg. Erbyn hyn prin oedd y creadur yn gallu cadw ei ddwy lygad ar agor.

Gadawsom y parc a dechrau cerdded yn ein holau'n hamddenol braf i gyfeiriad 9 Victora Gardens.

'Drycha ar hwn,' meddai Rhydian gan ddechrau chwerthin. Roedd o wedi stopio i ddarllen poster digon di-lun wedi'i lynu ar bolyn lamp ar y stryd.

'Grynda beth ma fe'n weud,' medda fo gan ddechrau darllen yn uchel gynnwys y poster efo llun o fwji glas arno. '"*Lost budgie, Arthur, appears overweight, does not fly well, does not trust people, last seen June 27th at 8.45pm at the corner of Salusbury Road.*

Please ring Andy." Sda Andy druan ddim gobeth caneri o weld Arthur y bwji eto, pwr dab,' chwarddodd Rhydian.

'Nagoes, bechod. Mi sylwais i ddoe fod 'na lot fawr o bosteri am anifeiliaid coll. Cŵn a chathod a ballu,' medda finnau.

'O, paid â sôn,' medda Rhydian. 'Mi gollodd Elen ei chi, sbel yn ôl nawr. Mi roddodd honno bosteri lan ymhob man. O'dd hi bron â mynd yn benwan yn whilo amdano fe.'

'Gafodd hi hyd iddo fo?'

Mi gofiais i sut oedd Anti Eirlys wedi mynd i banics mawr pan aeth Bobi ar goll ryw fore Sul. Roedd y byd ar ben. Ar fin ffonio'r heddlu oedd hi pan ffeindiodd Yncl Dilwyn o yng ngardd eu cymdogion. Mi roedd yr hen hogyn wedi ogleuo'r ast drws nesa oedd yn cwna ac wedi picied draw i drio ei lwc.

'Naddo'n anffodus. Ni'n amau bod rhywun wedi'i ddwgyd e. Ma prisie gwallgo i ga'l am gŵn pedigri. Ma lot fawr o gŵn yn ca'l eu dwyn yn yr ardal yma. O'dd Elen yn torri'i chalon.'

'Be oedd o? Ei frid o 'lly?'

'*Pug* bach o'dd e. Yffach o gymeriad. O'dd Elen yn meddwl y byd o Jasper.'

'Be... be ddeudaist ti o'dd ei enw fo?' gofynnais yn dawel er mwyn gwneud yn siŵr nad o'n i wedi camglywed.

'Jasper... Hei, ti'n ocê? Ti 'di mynd yn wyn fel shîten.'

'Yndw... yndw, tad,' medda fi yn teimlo'r gwaed yn llifo o 'nghorff i. 'Rhyw natur cur pen, dyna i gyd,' medda fi wedyn yn meddwl am yr esgus cyntaf ddoth i 'mhen i ac yn cofio ar yr un pryd am y tag ci oedd yn llechu yn fy mag.

MAS O 'NHŶ FI NAWR!

PAN GYRHAEDDOM NI yn ein holau aeth Rhydian yn syth i'w wely ac mi rois innau Walter bach i lawr yn ei got am ei nap yntau. Mi roedd fy mhen i'n troi mwy na'r golch yn sbinio yn yr injan olchi.

Ci Elen Protheroe oedd Jasper. Tag ci Elen oedd y tag ffeindiais i ym mocs twls Marc. Ond pam fod tag ci Elen gan Marc? Doedd y peth ddim yn gwneud synnwyr o gwbl. Oedd Marc wedi digwydd ffeindio'r ci yn crwydro'r strydoedd pan oedd o lawr yn Llundain ar un o'i dripiau? Oedd o wedi meddwl iddo fo ei hun; 'Hei, mae'r ci yma werth pres. Mi fedra i neud ceiniog neu ddwy fach ddel taswn i'n ei werthu fo.' Mae'n rhaid mai dyna beth ddigwyddodd. Hen snichyn annifyr yn gwerthu ci bach oedd yn amlwg ar goll heb feddwl dim am ei berchennog druan. Ond o wybod sut un oedd o, ddylai hynny ddim fy synnu i chwaith.

Yng nghanol smwddio o'n i pan glywais i swn goriad yn y drws ffrynt. O'n i'n methu dallt pwy oedd yna. Doedd gan Elen ddim brawd neu chwaer arall oedd wedi dod i aros siawns?

Ges i wybod ddigon buan pwy oedd wedi glanio. Taranodd Elen i mewn i'r gegin. O'n i wedi synnu ei gweld hi gan fy mod i dan yr argraff mai'r diwrnod wedyn yr oedd hi yn ei hôl.

'Mas! Nawr! Cer! Cer mas o 'nhŷ i nawr!' sgrechiodd ar dop ei llais. 'Pwy ffwc wyt ti? Cymryd arnat dy fod yn nani! Mas nawr! Cer mas o 'nhŷ i nawr!'

Rhyw ffordd, rhyw fodd roedd hi'n amlwg fod Elen wedi

canfod y gwir amdana i. Yn naturiol ddigon doedd hi ddim yn bles iawn. A dweud y gwir mi roedd hi'n gandryll.

'Mi fedra'i esbonio,' medda finnau gan fagio yn fy ôl yn ofn am fy mywyd fy mod i'n mynd i gael clusten ganddi unrhyw funud. Diolch i Dduw mod i'n smwddio ar y pryd a bod y bwrdd fel tarian yn fy ngwarchod rhag ei llid, neu Duw a ŵyr be fysa hi wedi'i wneud i mi.

'Camddealltwriaeth bach, dyna i gyd,' medda fi wedyn. 'Gad i mi ddeud wrthat ti be ddigwyddodd…'

'Mas! Nawr!' torrodd ar fy nhraws gan bwyntio at y drws. 'Sai moyn ti'n agos i'r tŷ 'ma nag yn agos at Walt! I feddwl bo fi wedi gadel fy mabi gyda rhyw ffycing *impostor*! Mas! Nawr! Cyn i mi ffonio'r heddlu… a gweud y gwir wy'n mynd i ffonio nhw nawr.'

O, cachu hwch, meddyliais, wrth weld Elen yn estyn am ei mobeil.

'Beth yffach yw'r holl weiddi 'ma?'

Safai Rhydian yn y gegin heb gerpyn amdano, heblaw am ei drôns bach, a Walter yn ei freichiau. Roedd sterics Elen wedi deffro'r ddau'n ddisymwth.

'Beth yffach sy'n bod?' gofynnodd eto'n ddryslyd.

Cipiodd ei chwaer Walter bach o'i freichiau. Gafaelodd yn dynn ynddo a'i gusanu fel tasa hi ddim am ei adael o'i golwg byth eto. O weld fod ei mab yn holliach daeth fymryn bach i lawr o dop ei chaets.

'Hon,' medda hi gan bwyntio ei bys tuag ata i eto fel taswn i'n faw isa'r domen. 'Dim y nani yw hi! *Impostor* yw hi.'

'Paid â bod yn sofft,' wfftiodd Rhydian. 'Pwy uffach yw hi, 'te?'

''Na beth licen i wbod,' meddai Elen gan anelu gwaywffon o edrychiad tuag ata i.

'Ylwch, mi fedra i esbonio bob dim,' medda fi. 'Camddealltwriaeth bach, dyna be sydd wedi digwydd, mi driais i ddeud...'

'Camddealltwriaeth? Ti'n galw esgus bod yn rhywun arall yn gamddealltwriaeth? Dim ti yw Nia Davies, y Nia Davies oedd i fod i garco fy mabi i,' meddai Elen yn dechrau myllio eto.

'Wnes i erioed ddeud mai Nia Davies o'n i. Nina ydw i. Nina Bennett. Wnes i ddeud hynny wrthat ti.'

'Wnest ti ddim gweud *nad* y ti odd y nani chwaith, naddo fe?'

'Ches i fawr o gyfla, oeddet ti wedi'i gluo hi drwy'r drws 'na...'

'Gan bwyll am funud bach,' torrodd Rhydian ar fy nraws. 'Dim ti yw'r nani?' medda fo gan droi tuag ata i.

'Nage!' atebodd Elen ar fy rhan. 'A phetai Mam heb ffonio bore 'ma fydden i dal ddim callach!'

'Beth sy gan Mam i neud 'da hyn i gyd?' holodd Rhydian. 'O'n i'n meddwl ei bod hi bant ar *retreat* holistig yng Ngroeg?'

'Ma hi. Ond fe lwyddodd hi i ga'l *signal* bore 'ma. Tase hi heb fynd ar y blincin *retreat* 'na, fydde hyn ddim 'di digwydd.'

'Shwt 'ny?' gofynnodd Rhydian.

'Fydde hi 'di gallu gwarchod Walter i fi tra o'n i bant yn ffilmio wedyn. Pan adawodd Catherine, fel wna'th hi, o'n i'n styc. Ond fe soniodd Mam fod wyres i ryw ffrind iddi hi yn whilo am waith fel nani. O'dd 'da hi eirda gwych ac o'dd hi bron â thorri ei bola eisie symud i fyw a gweithio yn Llunden. Felly drefnon ni bod hi'n cychwyn yn syth bin.'

'Dal sownd am funed bach,' meddai Rhydian. 'Wnest ti gyflogi'r ferch 'ma heb ei chyfweld hi hyd yn oed?'

O'n innau'n gweld hynny ychydig bach yn anghyfrifol fy

hun hefyd. Ond ddeudais i ddim byd. O'n i'n meddwl mai calla dawo oedd orau o dan yr amgylchiadau.

'Paid disghwl fel'na arna i, Rhydian. O'dd fowr o ddewis 'da fi. Ond pan ffoniodd Mam bore 'ma ges i yffach o sioc pan ofynnodd hi beth o'n i wedi'i neud o ran trefniade gwarchod ar ôl beth ddigwyddodd i'r nani newydd. O'n i ddim yn gwbod am beth yffach o'dd hi'n sôn.'

'Beth sydd wedi digwydd iddi felly?' gofynnodd Rhydian.

'O'dd ffrind Mam wedi ei ffonio hi'n ypsét ofnadwy yn gweud bod Nia wedi cael damwen fowr ar ei ffordd 'ma. Yn ôl llygaid dyst welodd y ddamwain, do'dd hi ddim yn edrych ble o'dd hi'n mynd gan fod ei phen yn ei ffôn, dilyn Google Maps, ma'n nhw'n amau, a welodd hi mo'r dybl decyr yn dod rownd y gornel.'

'O, mam bach,' ebychais yn uchel wedi styrbio trwyddaf. Mae'n rhaid mai y hi oedd yn y ddamwain welais i. Sôn am gyd-ddigwyddiad.

'Felly pwy ffwc 'yt ti?' trodd Elen ata i a'i hwyneb fel taran. 'Blydi seico yn cymryd arnat dy fod yn nani!'

Wel, o'n i wedi cyrraedd pen fy nhennyn efo hon yn gweiddi arna i fel hyn. Doedd ond un ffordd i gael Elen Protheroe i wrando arnaf fi, ac roedd hynny trwy ddefnyddio'r unig ddull o gyfathrebu roedd Elen yn ei ddallt.

'Jyst taw am funud, 'nei di!' gwaeddais nerth esgyrn fy mhen. Wyddwn i ddim fy mod i'n gallu gweiddi mor uchel.

Yn ei braw tawelodd Elen yn syth. Hoeliodd hi a'i brawd eu holl sylw arna i.

'Tasat ti wedi gwrando arna i yn y lle cynta, yn lle torri ar fy nhraws i bob munud, fysa hyn ddim wedi digwydd,' medda fi.

'Hy, be ti'n feddwl?' wfftiodd Elen.

'I fod yn deg, ti yn tueddu i dorri ar draws pobol,' medda Rhydian wrth ei chwaer.

Rhythodd Elen ar ei brawd mawr yn gas.

Es innau yn fy mlaen a dweud: 'Ches i fawr o ddewis ond gwarchod dy fabi di. 'Nest di wthio fo i fy mreichiau i, cythru yn dy gês a gadael am dy dacsi. Ches i ddim cyfle i ddeud pwy o'n i na pam o'n i yma.'

'Blydi *stalker* wyt ti. Ffan obsesd! A finne wedi gadel i ti ddod i mewn i fy nhŷ i a charco Walter! O, my god!' meddai hi wedyn yn dechrau arni eto.

'Dwi ddim yn stalkio chdi a dwi ddim yn ffan. O'n i ddim hyd yn oed yn gwbod pwy oeddet ti. Y dreifar tacsi ddeudodd wrtha i.'

'Be wyt ti'n neud 'ma, 'te?' gofynnodd Rhydian oedd yn colli amynedd erbyn hyn a welwn i ddim bai arno fo ac yntau'n dechrau oeri yn ei drôns bach ac yn dal i ddiodde oherwydd *jet lag*.

'Fel deudes i, dwi ddim yn ffan wallgo, a deud y gwir dwi ddim rili'n dilyn dy yrfa di ond 'ma gen i brofiad helaeth o ofalu ar ôl plant. Dwi'n gweithio fel cymhorthydd dosbarth ac mae gen i gymhwyster Lefel 2 mewn gofal plant a datblygiad plentyndod.'

'So na'n ateb y cwestiwn, be yffach ti'n neud 'ma?' gwgodd Elen wedyn.

Ciliais oddi wrth y bwrdd smwddio ac ymbyfalu am fy mag oedd yn hongian ar y gadair gerllaw a thyrchu ynddo'n wyllt.

'Dwi yma oherwydd hwn,' medda fi gan chwifio'r tag bychan o flaen trwyn Elen.

'Beth yffach? Tag Jasper!' ebychodd Elen gan ei adnabod o'n syth. 'Beth yffach wyt ti'n neud â hwnna?'

'O'dd o ym mocs tŵls fy ngŵr i. Marc Jones. Marcello Jones.'

Edrychodd Rhydian ac Elen ar ei gilydd yn gegrwth.

'O my god,' sibrydodd Elen gan roi ei llaw ar ei cheg a gollwng ei hun yn y gadair agosaf.

'Be?' medda finnau. 'Be sy?'

'Paid â gweud dy fod ti'n wraig i'r bastyn hwnnw,' ysgyrnygodd Rhydian.

MAMMA MIA!

Yn dilyn datganiad Rhydian roedd rhaid i minnau eistedd i lawr cyn i fy nghoesau roi oddi tanaf.

Wir i chi, fyddai wedi bod gan mil gwell gen i gael ar ddeall mai wedi digwydd gweld y ci bach yn crwydro'r stryd oedd Marc a'i fod wedi'i ddwyn a'i werthu am bres mawr na chael gwybod bod 'na gysylltiad rhyngo fo ac Elen. Yn anffodus, mi roedd y teimlad oedd gen i yn fy nŵr ynglŷn â hyn i gyd wedi bod yn iawn drwy'r adeg.

Y peth nesa dwi'n gofio ydi Rhydian yn gosod gwydriad o frandi yr un yn fy llaw i ac yn llaw Elen. Roedd o'n meddwl y byddai o fudd meddygol mawr i ni'n dwy o dan yr amgylchiadau. Roedd hi'n amlwg fod y ddwy ohonom wedi cael tipyn o fraw.

Rhwng sipiadau o'r hylif brown afiach dyma fi'n bwrw fy mol wrth y ddau a dweud sut wnes i gyfarfod â Marc ar drip bws i Gaerdydd. Sôn sut oedd ein perthynas wedi datblygu'n gyflym yn dilyn y trip hwnnw a'i fod wedi symud i fyw ata i yn fuan iawn ac ar ôl i mi golli Anti Eirlys bod ni'n dau wedi priodi.

'Wyt ti'n meindio i mi ofyn rhywbeth i ti? Gest di rywbeth ar ôl dy fodryb?' holodd Rhydian a oedd, diolch i'r mawredd, wedi gwisgo amdano erbyn hyn. Hoyw neu beidio, roedd hi'n anodd drybeilig i mi ganolbwyntio ar ddweud fy hanes wrth y ddau â'm llygaid yn mynnu cael eu tynnu fel magned at ei afl bob munud.

Nodiais fy mhen. 'Fi gafodd y cwbl ar ei hôl hi. Doedd ganddi hi ddim teulu arall.'

Ciledrychodd y brawd a'r chwaer ar ei gilydd.

'Fuon ni ddim yn briod ddim gwerth cyn iddo ddiflannu efo'r rhan fwya o'r pres oedd yn ein cyfri banc.'

Edrychodd y ddau ar ei gilydd unwaith eto.

'Ddeudodd o wrtha i ei fod o'n awyddus i fuddsoddi yn y cwmni bysys lle'r oedd o'n gweithio. Ond mi ddalltish i wedyn mai celwydd noeth oedd hynny i gyd. Dwi ddim wedi clywed siw na miw ganddo fo ers hydoedd.'

'Wnest ti riportio fe i'r heddlu?' gofynnodd Elen.

Nodiais fy mhen. 'Ond do'n nhw ddim yn gallu gneud dim byd ar gownt y peth, medda fi wedyn. 'Joint acownt oedd o, dach chi'n gweld. Wedyn, wsnos diwetha mi ges i hyd i dag ci yn ei focs tŵls o yn y garej. Ro'n i'n meddwl y galla fo fod yn gliw i le'r oedd Marc wedi mynd a dyma pam ddes i yma.'

'Wyt ti'n dal i garu fe?' gofynnodd Elen a oedd wedi hen orffen ei brandi erbyn hyn.

'Ei garu fo? Dwi'n ei gasáu o,' medda finnau heb droi blewyn. Roedd y brandi wedi fy arfogi i siarad yn fwy plaen na fyswn i fel arfer.

Roedd clywed hynny fel petai'n plesio Elen yn arw. Ac ar ôl clywed fy hanes a fy mhrofiad anffodus efo Marc roedd ei hagwedd tuag ata i wedi meirioli.

'Snap,' medda hi. 'Hen gelwyddgi twyllodrus yw e. Bu bron iawn i mi ga'l profiad tebyg iawn i ti ond drwy lwc ffeindes i mas beth o'dd e yn ddigon buan. Ma 'da fe broblem gamblo. 'Na pam o'dd e moyn yr arian. I dalu am rywfaint o'i ddyledion.'

Roedd pethau'n dechrau gwneud synnwyr i mi. Dyna pam oedd o angen pres gen innau felly.

'Oeddech chi'ch dau mewn perthynas, 'ta?' mentrais ofyn.

'O'n am gyfnod byr,' ochneidiodd.

'Sut wnaethoch chi gyfarfod?'

O'n i'n methu yn fy myw â deall sut oedden wedi dod ar draws ei gilydd a'r ddau'n rhodio mewn bydoedd hollol wahanol. Doedd yr actores erioed wedi bod ar drip bws, doedd bosib?

'Wedi mynd i'r theatr i weld y sioe *Mamma Mia!* o'n i,' eglurodd. 'O'dd rhan fechan 'da ffrind i mi, yn y corws. O'dd hi'n daer mod i'n mynd i'w gweld ac roedd hi wedi llwyddo i ga'l *comp* i mi. Tocyn *complimentary*. Am ddim,' esboniodd wedyn wrth weld yr olwg ddryslyd ar fy wyneb. 'O'n i ddim rili moyn gweld y sioe, sai'n ffan mawr o ABBA ond 'na fe. O'n i'n hwyr yn cyrredd, o'n i wedi bod yn recordio drama radio ac ro'n ni wedi mynd dros amser. Erbyn i mi gyrraedd y theatr o'dd y sioe wedi dechre a do'n nhw ddim yn gadel neb miwn tan hanner amser, felly es i i'r bar i ddisgwyl. Heblaw am y bachan o'dd tu ôl i'r bar, dim ond un person arall o'dd 'na, Marc. Ddechreuon ni siarad 'da'n gilydd. Wedodd e bod yr un peth wedi digwydd iddo fe hefyd, ei fod wedi cyrredd yn hwyr. Wydden i ddim taw dreifar y trip o'dd wedi dod lawr i Lundain i weld y show o'dd e. Wedodd e wrtha i fi ei fod yn gweitho i'r gwasaneth sifil. Yn fy ffolineb cytunais i fynd am bryd o fwyd 'da fe yn lle mynd i wylio'r ail hanner. Dros *pizza* a photel o win dadlennodd ei fod yn gweitho i'r gwasaneth cudd. I MI6.'

Bu bron iawn i mi ddisgyn oddi ar fy nghadair pan glywais i hynny.

'Be? A wnest ti ei goelio fo?' gofynnais yn gegrwth.

Do, cyfaddefodd Elen, braidd yn embaras. 'Er, ddylen i fod wedi amau na fydde gan aelod o MI6 ddiddordeb mewn miwsicals 'fyd. Wedodd e fod e newydd ddychwelyd o *assignment* yn nwyrain Ewrop. O'dd e ddim yn gallu gweud mwy oherwydd yr *official secrets* act a hynny i gyd. O'dd e'n swno mor *convincing*.'

Efallai bod tlysni Elen Protheroe ar raddfa uchel iawn ond allwn i ddim dweud yr un peth am ei deallusrwydd chwaith. Roedd hi'n amlwg ei bod hi wedi cael ei dallu'n llwyr gan Marc ac yn meddwl yn siŵr ei bod wedi cyfarfod â James Bond go iawn.

'Wydden i ddim ar y pryd mai wedi mynd â llond bws o bobol ar drip i Amsterdam o'dd e,' meddai wedyn gan ochneidio. 'Ddechreuon ni decstio a FfesTeimio'n gilydd. O'dd e bant lot. O'dd wythnose'n mynd heibio a finne'n clywed dim ganddo fe. Ond o'dd hynny jyst yn neud fi'n fwy cîn. Ond o'dd e wedi fy rhybuddio fi taw fel'na fydde pethe o'r cychwyn cynta un. O'dd e wedi gweud mai dim pob merch fydde'n gallu ymdopi â'i absenoldebau hir. O'dd e wedi fy rhybuddio i... o'dd e'n cymryd...'

'Hogan sbesial iawn,' gorffennais y frawddeg ar ei rhan. 'Ges inna'r lein yna ganddo fo hefyd,' gwenais yn wan.

'Pan o'dd e draw yn Llunden, anaml iawn o'dd e'n aros 'da fi. Rhesyme diogelwch o'dd ei esgus e. Nath o erioed gwrdd â'n ffrindiau i chwaith, am yr un rheswm, medde fe. O'dd e'n meddwl y byd o Jasper. Neu o'n i'n meddwl bod e,' meddai Elen yn ddagreuol.

'Be ddigwyddodd?' mentrais ofyn.

'Aeth Jasper ar goll un diwrnod. Wedodd Marc fod y drws ffrynt ar agor pan alwodd y postman a bod e wedi mynd mas yn dawel bach. Wedodd Marc ei fod e 'di bod yn whilo am Jasper drwy'r prynhawn. Nath e hyd yn oed helpu fi i lunio posteri yn gweud ei fod e ar goll. Ond ma'n amlwg nawr taw fe o'dd wedi dwyn y ci ei hunan, er mwyn ei werthu fe i ga'l

arian i dalu am un o'i ddyledion, sbo. Odd e'n gwbod yn iawn
bo fi'n caru'r ci 'na.'

'Sut nest di ffeindio allan y gwir amdano fo, 'ta? Mai dreifar
bws oedd o, dim sbei?' gofynnais wedyn.

'Ar ôl sbel ddechreues i ga'l llond bola o'r absenoldebau hir
a wedes i falle y dylen ni ddod â'n perthynas i ben. Hynny o
berthynas o'dd 'da ni. A dyna pryd wedodd e fod e'n awyddus i
adel y gwasaneth cudd a buddsoddi mewn cwmni diogelwch.
Wedodd e y bydde hynny'n newid pethe rhyngon ni. Bydden
ni'n gallu gweld mwy o'n gilydd, falle symud i mewn gyda'n
gilydd a hyd yn o'd prynu tŷ 'da'n gilydd. Ond yn anffodus o'dd
ei arian e wedi'i glymu lan a gofynnodd e a fydden i'n fodlon
benthyg arian dros dro – ond o'dd e'n mynd i dalu pob cinog
yn ôl i fi. Trw lwc, mi sonies i am y peth wrth Rhydian.'

'O'n i'n amheus ohono fe o'r dechre'n deg,' cyfaddefodd
Rhydian. 'Fydde asiant MI6 byth yn dadlennu beth o'dd ei
waith. Dries i weud wrth Elen ond o'dd hi'n meddwl bod yr
haul yn sheino mas o'i din e. Y *charmer* ag yw e. Dim ond
unweth gwrddes i ag e ond o'dd rhwbeth ddim yn taro
deuddeg am y bachan. Pan soniodd Elen ei fod e'n bwriadu
gadel y gwasanaeth cudd a buddsoddi yn rhyw gwmni ond
fod ganddo fe broblem *cash flow*, dechreuodd y clychau ganu.
Wnes i bach o waith ymchwil a tsieco ar y we 'da Company
House a ffeindio mas bod y cwmni ddim yn bodoli. Loges i
dditectif preifet a ffeindes i mas bod 'da fe broblem gamblo.'

'Blydi hel,' ebychais innau gan dderbyn joch arall o frandi i
'ngwydr gwag.

'Ond trwy Mam ffeindies i mas y gwir amdano fe'n diwedd,'
datganodd Elen. 'Gafodd e'i ddala'n *red handed*. O'dd hi wedi
mynd i'r Steddfod ac yn aros yn yr un gwesty â chriw o'r gogs
oedd ar drip Cambrian Coaches a phwy oedd y gyrrwr ond

neb llai na Marc. O'dd hi heb gyfarfod ag e wyneb yn wyneb ond o'dd hi wedi ei weld e ar FfesTeim unwaith. Yn naturiol, gyflwynes i'r ddau i'w gilydd ond ges i lond pen wedyn 'da fe Marc. O'n i'n peryglu ei ddiogelwch e oherwydd ei waith – a'r crap 'na i gyd. Wnath Mam nabod e'n syth. So hi byth yn anghofio wynebau. Dyma hi'n FfesTeimo fi a dangos Marc yn y bar yn ca'l yffach o sbort 'da criw o fenywod ar y trip. Pan wnes i daclo fe, o'dd 'da fe ddigon o wyneb i drial gweud bod e'n neud gwaith *undercover*! Disgynnodd bob dim i'w le wedyn. Yr absenoldebe hir ac ati. O'dd e wedi palu celwyddau a thaflu llwch i'm llyged i ar hyd yr amser, a finne wedi credu'r cwbwl. Ffwcing dreifar bws o'dd e, dim *secret agent*!'

Ar y gair, canodd mobeil Elen. Ciledrychodd ar ei sgrin.

'Y cwmni ffilmio sy 'na,' ochneidiodd. 'Wedes i bo 'da fi *family emergency* a bo rhaid i fi fynd gitre i sorto fe mas. Ma'n nhw wedi stopio ffilmio am y tro. Ti'n mendio ei gymryd e?' meddai hi gan roi Walter yn fy mreichiau cyn mynd drwodd i'r lobi i ateb yr alwad. Mae'n rhaid bod ganddi hi ran go fawr a phwysig yn y ffilm iddyn nhw gytuno i stopio ffilmio o'i chownt hi, ac yn bwysicach, yn fodlon gwneud hynny, meddyliais.

Ar ôl i'w chwaer ddiflannu drwy'r drws, gofynnodd Rhydian, 'Smo ti wedi clywed dim byd gan y pwdryn ers iddo fe adel, 'te?'

'Dim gair,' atebais innau.

'A sdim syniad 'da ti ble ma fe?' gofynnodd wedyn.

'Dim clem. O'dd Anti Eirlys yn arfer deud nad ydi'r diafol yn cadw ei was yn hir iawn. Ma'n ca'l ei blesio'n fawr yn Marcello Jones, mae'n rhaid.'

Chwarddodd Rhydian. 'Ma'n rhaid ei fod e, yn anffodus.'

'Reit, well i mi fynd i hel fy mhethau, 'ta,' medda fi gan

wenu'n ôl ar Walter oedd yn eistedd ar fy nghôl yn fodlon braf. Roedden ni'n dau wedi dod yn dipyn o lawia' yn y cwta ddau ddiwrnod diwethaf 'ma.

Daeth Elen yn ôl i mewn ac mi ges i fy llorio pan ddwedodd hi, 'Ym... Wy'n gwbod bo fe'n lot i ofyn i ti. Ond ym... 'yt ti'n meddwl y gallet ti aros... yn Llunden... gofalu ar ôl Walter tan ddiwedd yr wthnos? Wy'n goffod bod nôl ar y set fory,' esboniodd. 'Fydden i ddim yn gofyn ond sneb arall 'da fi, ma Mam bant tan ddydd Mawrth.'

'Ond o'n i'n meddwl...' medda finnau.

'Wy'n gwbod bo ti ddim yn nani, wel, ddim un go iawn,' torrodd Elen ar fy nhraws, yn ôl ei harfer. 'Ond fel wedest ti, ma 'da ti gymhwyster Lefel 2 mewn gofal plant a datblygiad plentyndod a ti wedi hen arfer edrych ar ôl plant.'

'Do ond...'

'A ma'n amlwg bo ti a Walt yn dod mla'n,' meddai hi gan wenu ar y bychan yn hapus ei fyd ar fy nglin. 'Plis... jyst am wythnos 'ma. Wy'n despret.'

'Be am Rhydian?' gofynnais.

'*No can do*, sori,' medda hwnnw wedyn. 'Ma 'da fi gyfarfodydd drwy'r dydd fory a drennydd ac wy'n hedfan nôl i Efrog Newydd yn syth wedyn.'

Edrychodd Elen arna i'n ymbilgar efo'i dwy lygad llo bach wyrddlas. Edrychodd Walter i fyny arna i efo'i ddwy lygad fawr wyrddlas yntau.

Dyma fi'n rhoi ochenaid ddofn cyn ateb a dweud, 'Well i mi fynd i orffen y smwddio felly, tydi?'

POTSIAN PAENTIO

M I DRODD Y tridiau'n bron i bythefnos yn y diwedd. Erbyn
hynny mi roedd Elen wedi cael cyfle i drefnu nani go
iawn i warchod Walter. Mi roedd hi'n hen bryd i minnau
droi fy ngorwelion tuag adref. Os cofiwch chi, picied i lawr i
Lundain am noson oedd fy mwriad gwreiddiol i.

Wnes i ddigwydd sôn wrth Elen mod i'n poeni braidd
ynglŷn â chost y ddirwy fyddai'n fy wynebu i am adael fy
nghar yn stesion Bangor a finnau ond wedi talu i gael parcio
yno am ddau ddiwrnod. Be tasan nhw wedi clampio fy nghar
i? Neu'n waeth byth, wedi'i dowio fo i ffwrdd i Dduw a ŵyr
lle? Dim ond twt twtio wnaeth hi a mynnu fy mod i'n gadael
iddi wybod y swm er mwyn iddi ei dalu fo ar fy rhan. Wnes i
ddim protestio gormod dim ond diolch yn garedig iawn iddi
hi.

Un peth do'n i ddim yn edrych ymlaen ato ar ôl cyrraedd
adref oedd taclo'r ffrij. Fel arfer pan fydda i'n mynd i ffwrdd,
mi fydda i'n ei gwagio a'i glanhau hi o'r top i'r gwaelod a
chael gwared ar unrhyw fwydiach darfodus. Gwyddwn fod
gen i beint o lefrith ar ei hanner, paced o ham wedi'i agor,
letan, tomatos a dau bot o iogwrt ar y silffoedd. Heb sôn am
y dorth ro'n i newydd ei thynnu o'r rhewgell y bore hwnnw
oedd wedi hen lwydo yn y bin bara. Dwi'n siŵr y byddai
Alexander Fleming wedi cael modd i fyw yn eu hastudio dan y
meicrosgop a synnwn i damaid y bysa fo wedi darganfod math
newydd o benisilin. Duw a ŵyr pa facteria oedd yn lluosogi

ynddynt bellach. O'n i ddim yn licio meddwl sut stad oedd ar fy *weeping fig* i chwaith a hithau heb gael dŵr ers cyhyd.

Er fy mod i'n edrych ymlaen at fynd adref, yn rhyfedd iawn, rhyw deimladau cymysg oedd gen i. Mi ro'n i'n mynd i golli bwrlwm a phrysurdeb Llundain, mae'n rhaid i mi gyfaddef. Er mai dim ond am gwta bythefnos ro'n i wedi bod yno mi ro'n i wedi setlo yn y ddinas fawr ddrwg yn rhyfeddol o dda. Erbyn diwedd y bythefnos do'n i ddim yn meddwl ddwywaith am ddefnyddio'r tiwb hyd yn oed. Arfer ydi bob dim, 'te? Mi ro'n i hefyd yn mynd i golli Walter ac Elen. Yn enwedig Walter. O'n i'n difaru dim fy mod i wedi derbyn cynnig Elen i aros. Mi ges i gyfle i weld a gwneud llawer.

Ddeudes i wrthych chi fod Elin Fflur wedi dod draw i ffilmio'r rhaglen *Sgwrs Dan y Lloer*? O'n i wrth fy modd yn eu gwylio nhw wrthi. O'n i ddim yn sylweddoli bod recordio rhaglenni fel yna yn cymryd gymaint o amser. Fuon nhw acw am oriau. Roedd Elin yn ofnadwy o glên a'r criw cynhyrchu hefyd. Er, dwi'n siŵr bod Elin wedi'i dal hi'n ddigon del ar ôl yr holl *Bellini* coctels yfodd hi.

Wnes i hefyd gyfarfod yn sydyn ag Emilia Clarke, actores ydi hithau fel Elen. Mi oedd Elen a hithau wedi bod mewn drama lwyfan efo'i gilydd yn weddol ddiweddar ac mi roedd y ddwy wedi cynhyrfu'n bot eu bod nhw'n mynd i gael cyfle i gydweithio eto ar ryw gyfres deledu efo'i gilydd. Wedi mynd am *brunch* oedden ni'n dwy, a Walter wrth gwrs (dwi'n licio'r gair *brunch,* mae'n rhaid i mi ddweud. Tydi breinio ddim yn swnio cweit yr un fath rywsut, nac ydi?). Oedden ni wedi mynd i'r un lle ag yr o'n i wedi bod efo Rhydian y diwrnod hwnnw. Mi ddaeth Emilia, neu Milly, fel mae'n licio cael ei galw, draw i ddeud helô. Ew, hogan glên ydi hi.

'This is Nina, Walter's nanny. Well, she isn't really his nanny. She's more a friend really,' esboniodd Elen wrth Milly. O'n i wrth fy modd ei bod wedi fy nghyflwyno i felly, cofiwch.

Ydach chi'n gwybod be wnaeth honno? Complimentio fi ar fy ngwallt.

'Wish I had your hair. I adore the colour, that Titian colour and those fabulous curls. Don't ever cut it,' medda hi'n ddifrifol gan edrych i fyw fy llygaid i.

Addewais iddi hi yn y fan a'r lle.

Ond y peth mwyaf ddigwyddodd i mi yn ystod y bythefnos honno ydi fy mod i wedi ailafael yn rhywbeth nad o'n i wedi'i wneud ers blynyddoedd lawer iawn. Mi wnes i ailddechrau paentio. Ar ôl i mi golli fy nhad fedrwn i ddim meddwl am godi brwsh paent na phensel i greu llun. Blynyddoedd wedyn mi ddychwelodd yr awydd i baentio ac mi wnes i ymaelodi â dosbarth nos celf. Ond buan iawn rois i'r gorau i'r dosbarthiadau ar ôl holl goments gwawdlyd Emyr.

'Paid â deud dy fod ti'n potsian efo'r hen frwshys a'r paent 'na eto?' oedd o'n arfer ei ddweud os oedd yn fy ngweld i'n paentio. 'I be, dwa? Llun o be 'di hwnna i fod? Pwy ti feddwl w't ti – Picasso? *Piece of piss* fwy fatha hi!' meddai o wedyn gan ryw hanner chwerthin yn wawdlyd.

Dwi'n meddwl mai ofn drwy'i din ac allan oedd o ein bod ni yn y dosbarth yn mynd i dynnu lluniau *life nudes*. Am ryw reswm doedd o ddim yn licio'r syniad o gwbl ohona i'n gwneud llun o rywun oedd yn noethlymun groen. Ac felly o dipyn i beth mi gadwes i fy mrwshys, fy mhaent a fy mwrdd *easel*. Gollais i fy hyder heb sôn am yr awydd i baentio.

Ond un pnawn, ar ôl i Walter bach a finnau gyrraedd yn ein holau ar ôl bod am dro yn y parc, mi ddigwyddodd rhywbeth.

Roedd Walter, yn ôl ei arfer, yn dal i gysgu'n braf, yn fodlon a hapus ei fyd yn ei bram. Mi roedd o'n edrych fel angel bach, ei wefusau llawn a'i amrannau hir a'i groen bach llyfn.

Doedd dim dwywaith ei fod o wedi etifeddu genynnau ei fam. Welais i erioed fabi mor dlws. Estynnais am fy mobeil er mwyn tynnu ei lun a'i anfon ymlaen i Elen. Syllais eto ar y bychan. Newidiais fy meddwl a chadwais fy ffôn gan fynd i chwilio am bapur a phensel.

Newydd orffen sgetsio o'n i pan gyrhaeddodd Elen yn ei hôl, wedi bod am ail glyweliad ar gyfer rhyw ran neu'i gilydd oedd hi.

'Waw!' medda hi gan gipio'r llun oddi ar y bwrdd. Y sgets sydyn ro'n i wedi ei wneud o Walter, 'Ti wnaeth hwnna? Ma fe'n wych.'

'Jyst sgribl sydyn ydi o. Lluchia fo i'r bin, wir.'

'Paid â bod yn sofft! Ma fe'n briliant! Ga i fe?'

'Wel, cei... os leici di,' medda fi wedi synnu bod Elen wedi dotio efo fy ymgais dila ar sgets oedd yn rhyw led ymdebygu i wyneb bach Walter.

'Wy'n mynd i fframo fe. Ti rili wedi ei ddala fe, ti'n bo. Ei gymeriad e. Wnei di sgetsio llun ohona i hefyd, plis? Alla i roi'r ddau lan un bob ochor i'r silff ben tân wedyn.'

Goeliech chi ei bod hi wedi mynnu fy mod i'n gneud sgets ohoni hithau wedyn yn y fan a'r lle? Mi eisteddodd hi lawr yn y gadair gyferbyn â mi, heb dynnu ei chôt hyd yn oed. Fues i ddim wrthi'n hir iawn.

'Sori, tydi o ddim yn un da iawn. Wna i un gwell pan fydd gen i fwy o amser,' ymddiheuriais gan basio'r sgets iddi.

'Un gwell? Alla'i ddim cael un gwell na hwn! Ti'n yffach o artist, ti'n gwybod 'ny? I feddwl bo ti 'di neud e mewn cyn lleied o amser hefyd.'

Cochais at fy nghlustiau. 'Paid â siarad yn wirion. Fedrith pawb dynnu llun, siŵr.'

'Alla i ddim. A sdim llawer yn gallu neud llunie fel rhain chwaith. Wy 'di ca'l syniad,' meddai hi wedyn a'i hwyneb yn goleuo. 'Fi wedi bod yn whilo am lun i roi lan yn y lolfa, ond sai 'di dod ar draws dim byd wy'n licio. Wnei di baentio llun i fi? Lan i ti beth ti'n neud. Wy'n folon talu ti, wrth gwrs. Dy gomisiwn cynta di.'

'Be? Paid â bod yn wirion. Fedra'i ddim siŵr! Dwi ddim yn artist,' protestiais.

'Yffach, Nina, paid â rhoi dy hunan lawr shwt cyment. Plis paentia lun i mi, plis?'

O'n i'n methu credu'r peth, ar ôl yr holl flynyddoedd o gael fy ngwawdio am dynnu lluniau dyma fi rŵan yn cael fy nhalu i wneud un.

'Ti'n meindio os dwi'n ei neud o mewn oel? Mae'n well gen i baentio mewn oel na sgetsio,' gofynnais yn rhyw led gynhyrfu fymryn.

'Beth bynnag. Sai'n ffysi. Wy 'di ca'l syniad! Beth am i ti neud *portrait* ohona i mewn oel? Gaiff e fynd lan wrth ochr y llun du a gwyn 'na ohona i wedyn.'

Doedd dim troi ar Elen. Mi roedd hi wedi rhoi ei bryd ar gael portread ohoni hi ei hun mwn oel. Dwi'n meddwl ei bod hi wedi cael y syniad hurt yma o weld ei hun fel rhyw fersiwn fodern o'r Mona Lisa, er nad o'n i'n Leonardo da Vinci o bell ffordd.

'Wel, mi dria i, ond mae 'na flynyddoedd ers i mi hyd yn oed godi brwsh paent. Fedra i ddim gadael i ti dalu amdano fo. Be tasa chdi ddim yn ei licio fo? Yn ei gasáu o?'

'Fydda i ddim.'

'Sut ti'n gwbod?

'Wy jyst yn, ôl reit? Wy'n trysto ti. Alla i ddim gadel i ti baentio *portrait* ohona i am ddim, 'chan! Dala i bum can punt i ti.'

'Be? Paid â bod yn wirion!'

'Wel, ma'r offer fyddi di angen – y paent, y brwshys, y canfas ac ati yn mynd i gostio i gychwyn.'

'Yli, wn i be wna'i efo chdi. Tala di am rheini ac mi fyddan ni'n sgwâr wedyn,' medda fi.

'Ti'n siŵr?'

'Berffaith siŵr.'

'Wel, ôl reit, 'te,' cytunodd Elen yn gyndyn a dyma lwyddo i ddod i gyfaddawd.

Bore wedyn, es i ar y we i edrych lle'r oedd y siop gelf a chrefft agosaf. Yn ffodus, mi roedd yna un ryw gwta chwarter awr i fwrdd ar droed. Ar ôl brecwast aeth Walter a finnau yno er mwyn prynu'r geriach angenrheidiol, yn baent, brwshys, palet, *easel* a chanfas. Rhwng naps Walter es innau ati i ddechrau arni wedyn. Roedd gen i ddedlein i anelu ato. Mi roedd rhaid i mi orffen y llun cyn dydd Sul, y diwrnod ro'n i'n mynd yn ôl i Sir Fôn.

Bob eiliad sbâr oedd gen i ro'n i'n gweithio ar y llun. Ro'n i wedi tynnu lluniau o Elen ar fy ffôn, ac yn gweithio o'r rheini. O'n i ddim yn mynd i 'ngwely tan un neu ddau o'r gloch y bore weithiau, ond doedd dim ots gen i o gwbl. Ro'n i'n teimlo'n fwy byw ac effro na deimlais i erioed o'r blaen. Ro'n i wrth fy modd. Ro'n i wrth fy modd yn ymgolli yng nghyffyrddiad y brwsh ar y canfas. Roedd yr oriau'n gwibio heibio. Theimlais i erioed felly o'r blaen. Y profiad o ymgolli'n llwyr mewn rhywbeth. Ro'n i'n gwbl yn y foment honno a dim unrhyw fath o feddyliau eraill yn carlamu drwy fy mhen. Mi roedd yn brofiad anhygoel.

Pan o'n i'n paentio ro'n i'n gallu anghofio am bob dim. Anghofio am golli fy nhad a fy mam. Colli Yncl Dilwyn ac Anti Eirlys annwyl. Ac yn fwy pwysig na dim, anghofio am Marc. Anghofio am y ffordd roedd o wedi fy nhrin a fy nhwyllo i.

Bron bob awr o'r dydd fel arall, roedd y bastyn dan din (esgusodwch yr iaith ond tydi o'n haeddu dim gwell) yn llenwi fy meddyliau i. Pan o'n i yn fy ngwely, pan o'n i'n mynd â Walter am dro yn ei bram, pan o'n i'n llenwi'r peiriant golchi llestri, yn smwddio, gwylio'r teledu. Beth bynnag ro'n i yn ei wneud, neu le bynnag yr o'n i roedd o'n mynnu ymwthio i'm meddwl i. Oedd yna ferched eraill wedi cael yr un profiad ag Elen a fi? Oedd yna ferch allan yn rhywle yr eiliad honno yn cael ei swyno a'i dallu ganddo fo? Doedd o ddim yn iawn ei fod o'n cael getawê efo hi. Mwya'n byd ro'n i'n meddwl am y peth mwyaf blin ro'n i'n mynd. Ella y dylwn i logi ditectif preifat i gael hyd iddo. Gallwn dalu ei ffi efo'r pres ychwanegol ro'n i wedi'i ennill yn gwarchod Walter. Ond mi roedd gen i gostau a biliau i'w talu. Bil credit, bil oel, mi roedd fy nghar angen serfis, MOT a dau deiar newydd os nad tri. Gwell parcio'r syniad o logi ditectif am y tro.

Ro'n i hefyd yn dal yn y gobaith prin y byddai rhyw ddiwrnod yn dod i'r fei. Un peth oedd yn mynd drwy fy meddwl i dro ar ôl tro oedd nad o'n i'n siŵr iawn be fyswn i'n ei wneud taswn i'n ei weld o eto. Fedrwn i ddim addo o gwbl y byswn i'n ymddwyn fel oedolyn cyfrifol. Ac mi oedd hynny yn fy nychryn i. Yn fy nychryn i go iawn.

MÔN DIRION DIR

ROEDD FY NGHYFNOD byr fel nani yn Llundain yn teimlo fel oes yn ôl. Buan iawn ddechreuais i arfer eto hefo codi yn y bore, mynd i'r ysgol, dod adref, gwneud te sydyn i mi fy hun ac yna mynd i fy stiwdio i baentio.

Roedd gwneud y ddau sgets a'r llun olew o Elen (oedd wedi plesio fel na fu erioed y ffasiwn beth, gyda llaw, ac fe fynnodd dalu pum cant o bunnoedd i mi er waethaf fy mhrotestiadau) wedi tanio'r awydd i mi baentio mwy o luniau. Felly'r peth cyntaf wnes i ar ôl cyrraedd adref, ar ôl clirio a diheintio'r ffrij a rhoi dŵr i fy *weeping fig* wrth gwrs, oedd mynd ati i glirio'r bocs rŵm. Doeddwn i ddim wedi bod ar gyfyl y stafell fach ers blynyddoedd. Fel soniais yn barod, ar ôl i mi golli fy mam a 'nhad symudais i fyw at Anti Eirlys ac Yncl Dilwyn. Yn ôl amod yr ewyllys, petai rhywbeth yn digwydd i fy mam a 'nhad roedd y tŷ i'w gadw mewn *trust* i mi hyd nes o'n i'n un ar hugain. Yn ddigon hen a chall am wn i i benderfynu be o'n i am ei wneud efo fo, ei gadw neu ei werthu. Yn ddyn busnes i'r carn, penderfynodd Yncl Dilwyn, gyda sêl bendith Anti Eirlys wrth gwrs, i rentu'r tŷ tan hynny a mi oedd y pres rhent yn mynd yn syth i gyfri cynilo yn fy enw i. Yr arian hwnnw sydd wedi fy nghynnal i fwy neu lai ar hyd y blynyddoedd. Pan o'n i'n un ar hugain oed, penderfynais symud yn ôl i fyw i fy nghartref ac yn y fan honno dwi wedi byw ers hynny. Yn ffodus, rhyw gwta ddwy filltir lawr y lôn roedd Anti Eirlys ac Yncl Dilwyn yn byw ac felly roeddynt yn dal i fedru cadw llygaid gwarcheidiol arna i. Ddim bod angen iddyn nhw gadw golwg arna i chwaith, fues i erioed yn un am bartïon gwyllt ac ati. A dweud y gwir, fues i erioed yn un am bartis ffwl stop.

Trawsnewidiais yr ystafell fach yn stiwdio bwrpasol. Ers i mi ddod yn fy ôl o Lundain ro'n i wedi paentio sawl llun, tirluniau'n bennaf o draethau Sir Fôn. Ro'n i wedi paentio llun o Draeth Coch, Traeth Lligwy a Bae Trearddur ar ddiwrnod stormus. Tirluniau haniaethol mewn olew oedden nhw. Roedd fel petai drws oedd wedi bod ar glo am flynyddoedd lawer wedi cael ei ddatgloi o'r diwedd.

Roedd yr ysgol yn dathlu ei phen blwydd yn hanner cant ac mi oedd Sara Davies B.Ed, neu Mrs Sara Edwards B.Ed fel roedd hi bellach a hithau wedi priodi ac wedi'i phenodi'n bennaeth yr ysgol, wedi gofyn i'r staff am syniadau ar gyfer dathlu'r achlysur. Cafwyd cyfarfod i drafod syniadau un amser chwarae rhyw fore.

Heblaw am gyngerdd, noson caws a gwin, ocsiwn a helfa drysor (ddim y syniad gorau gan ei bod hi wedi troi'r awr ac yn dywyll cyn pump) chafwyd ddim mwy o awgrymiadau. Wn i ddim ai apathi ar ran y staff oedd yn gyfrifol am hynny, neu fod gan bawb ofn cynnig unrhyw syniadau gan ein bod ni i gyd yn ymwybodol y byddai'r sawl a awgrymodd y syniad yn gorfod trefnu'r digwyddiad. Roedd Mrs Sara Edwards yn nodedig am ddirprwyo jobsys.

O weld nad oedd yna unrhyw syniadau eraill wedi dod gerbron, dyma finnau yn fy ngwiriondeb yn awgrymu y byddai paentio murlun ar wal neuadd yr ysgol yn goffâd da i ddathlu'r achlysur. Trodd pennau'r holl staff i syllu arna i'n syn yn methu credu mod i o bawb a oedd byth fel arfer yn yngan gair o 'mhen mewn unrhyw gyfarfod wedi agor fy ngheg. Er mawr syndod i mi roedd Sara Edwards wedi dotio efo'r syniad.

'Ond pwy gawn ni i baentio fo?' gofynnodd gan grychu ei thrwyn. 'Oes rhywun yn nabod artist lleol? Rhywun fysa'n ei neud o yn rhad, neu am ddim i ni hyd yn oed?'

'Mi wna i baentio fo, os liciwch chi,' cynigais mewn llais bach.

Trodd bob pen yn y staff rŵm i syllu i fy nghyfeiriad unwaith eto. Cochais innau at fy nghlustiau.

'Chdi?' ebychodd mewn anghrediniaeth fel taswn i newydd ddatgan mod i'n wyres i Kyffin Williams.

'Mi fyswn i'n gallu gneud murlun o bethau nodedig ar yr ynys yma,' mentrais ddweud wedyn. 'Llefydd fel Ynys Lawd, Mynydd Parys, Melin Llynon, castell Biwmares a Llandd–'

'Na, dim castell Biwmares,' torrodd Mrs Sara Edwards ar fy nhraws. 'Ddim ar unrhyw gyfri ydan ni isio castell Biwmares.' Pwysleisiodd wedyn. Nodiodd gweddill y staff yn unfrydol. 'Wyddwn i ddim dy fod ti'n artist, Nina,' meddai hi wedyn. 'Fuest ti mewn coleg celf, do?' gofynnodd yn gwybod yn iawn na fues i ar gyfyl unrhyw goleg o fath yn y byd.

Ysgydwais fy mhen. ' Ym… wel, naddo.'

'Mae gofyn cael dipyn o artist, rhywun sy'n dallt be ma o'n ei neud, i baentio murlun. Wnawn ni feddwl am y peth, ia?' gwenodd ei hen wên ffals gyfarwydd.

'Dangosa'r sgets 'na ti 'di neud, Nina,' wrjodd Heulwen wedyn.

Cyn y cyfarfod mi roedd llygaid barcud Heulwen wedi sylwi ar y sgets oedd yn llechu yn fy mag. Syniadau oedd y sgets o lefydd y gallwn eu cynnwys yn y murlun.

'Be 'di hwnna yn dy fag di, Nina?' roedd hi wedi holi yn drwyn i gyd. 'Llun o be ydi o?'

'Dim ond sgets sydyn wnes i neithiwr. Dio'm byd.'

'Gad i mi weld o, 'ta,' mynnodd wedyn.

Yn gyndyn, dangosais y sgets iddi. 'Rhyw feddwl o'n i ella y bysan ni'n gallu paentio murlun ar wal y neuadd. Ond wn i'm chwaith.'

'Blydi hel! Chdi nath hwn?' ddeudodd Heulwen. 'Ma o'n briliant! Am syniad da.'

'Pa sgets?' brathodd Sara Edwards.

'Sgets mae hi wedi'i neud o'r murlun,' meddai Heulwen wedyn. 'Dangosa fo i ni, Nina.'

Estynnais y sgets o fy mag yn anfoddog. Ro'n i'n dechrau difaru mod i wedi agor fy nheg rŵan.

'Ym… Rhwbath fel hyn… ym… oedd gen i mewn golwg,' medda fi yn pasio'r sgets o'n i wedi'i wneud mewn pensil iddi.

'Chdi wnaeth hwn?' meddai'n gegrwth gan syllu ar y papur efo sgets o Felin Llynon, Mynydd Parys ac ati arno fo.

Nodiais fy mhen gan gochi eto.

'Tydio'n briliant?' ategodd Heulwen. Cytunodd gweddill y staff efo hi. 'Wyddwn i ddim dy fod ti'n artist. Gadwest ti hynna'n ddistaw, Nina!'

'Distaw iawn,' ategodd Mrs Sara Edwards B.Ed yn dal i syllu ar y llun. Yna trodd ata i. 'Pryd fedri di ddechrau?'

Ew, mi ges i fwynhad o'r mwyaf yn paentio'r murlun. Bob amser cinio, gyda chymorth rhai o'r plant hynaf, dyna lle o'n i'n paentio. Ro'n i wedyn yn aros ymlaen am ryw awran neu ddwy bob nos a mi o'n i'n mynd i mewn ar y penwythnosau hefyd. Ro'n i wrth fy modd a rhyw deimlad chwerw felys oedd tynnu tua'r terfyn. Roedd yna gyngerdd mawreddog (a raffl) efo doniau lleol a disgyblion yr ysgol yn cymryd rhan wedi'i drefnu i ddathlu pen blwydd yr ysgol. Y noson honno hefyd byddai cyfle i bawb gael sbec ar y murlun.

Ynghanol paentio un o asgelli Melin Llynon un amser cinio o'n i pan drotiodd Mrs Sara Edwards B.Ed i mewn a golwg wedi'i chynhyrfu'n lân arni.

'Nina, mae 'na rywun yma isio dy weld ti,' meddai'n wyllt.

Am un funud wallgo meddyliais mai Marc oedd yno.

Ond wedyn dyma hi'n dweud, 'Dwi wedi ei rhoi hi yn fy swyddfa. O my god, Nina, sut wyt ti'n nabod Elen Protheroe? Dwi'm yn coelio'r peth! Mae Elen Protheroe, o bawb, yn fy ysgol i! Mi geith Owain hartan pan ddeuda'i wrtho. Ma o'n masif ffan!' (Ei gŵr hi oedd Owain.)

Pwy oedd y Sara Edwards yma oedd yn sefyll o 'mlaen i yn giglan yn wirion fel rhyw ferch ysgol?

'Tyrd yn dy flaen, rho'r brwsh paent 'na i lawr, wir. Ti'n meddwl y bysa hi'n licio paned?' Wna'i gynnig paned iddi, ia?' meddai wedyn wrth i ni'n dwy gamu'n fân ac yn fuan tuag at y swyddfa ble roedd yr actores a enwebwyd am dri Emmy ac un Oscar, oedd yn enillydd dau BAFTA heb sôn am fod yn enillydd gwobr BAFTA Cymru yn disgwyl amdana i.

'Ti'n meddwl ga i dynnu *selfie* efo hi?' gofynnodd wedyn cyn cnocio ar y drws yn ysgafn.

Camodd y ddwy ohonom i mewn.

'Fysach chi licio paned? Te, coffi? Neu ddiod oer ella? Dŵr?' gofynnodd yn wên deg i gyd.

'Dim diolch,' atebodd Elen. 'Sdim lot o amser 'da fi . Wy fod nôl ar set am ddou. Wy jyst moyn gair clou 'da Nina.'

'Ffilmio ffordd hyn ydach chi, ia? Be dach chi'n ffilmio felly?' holodd Sara wedyn. Roedd hi'n methu tynnu ei llygaid oddi ar y seren o'i blaen hi. Synnwn i damaid ei bod hi wedi gwlychu ei hun yn llythrennol pan sylweddolodd pwy oedd yn pwyso'n daer ar *buzzer* drws yr ysgol.

'Rhyw gyfres *sci-fi* newydd ym Mynydd Parys i Netflix.'

'O, ma fanno yn lle da i ffilmio pethau felly. Ma 'na lot o gyfresi teledu a ffilmiau wedi cael eu ffilmio yno. Ma'r tiwedd mor amasing yna, tydi? Yr holl liwiau yna.'

Gwenodd Elen ei gwên broffesiynol ar y Pennaeth ac yna trodd ata i. 'Nina, ga i air...'

'Pryd fydd hi ar y teledu?' meddai nymbar wan ffan Elen drachefn.

'Ym... Sai'n siŵr. Nina, gai air 'da ti plis?' meddai Elen wedyn yn reit ddiamynedd.

'Wna'i adael chi'ch dwy i gael llonydd, 'ta,' meddai Sara gan gymryd yr hint o'r diwedd. Bagiodd yn ei hôl gan foesymgrymu bron, allan o'r swyddfa fel petai hi'n ffarwelio efo aelod o'r teulu brenhinol. 'Dach chi'n siŵr gymerwch chi ddim paned?' gofynnodd wedyn.

Wnaeth Elen ddim trafferthu i'w hateb hi dim ond cau'r drws yn glep ar ei hôl.

'O my god, pwy oedd y fenyw 'na?'

'Fy mos i,' atebais gan wenu.

'Ddim bellach.'

'E? Be ti'n feddwl?'

'Wy moyn ti ddod i Lunden. Wy moyn i ti fod yn nani i Walter. Plis, plis gweda y doi di?'

SO HI'N DRYST I GARCO JERBIL HEB SÔN AM BLANT!

ERBYN DALLT MI roedd y nani oedd ganddi hi'n anobeithiol.

'Ti'n cofio'r cymeriad Bubble yn *Absolutely Fabulous*? Wel, ma hi hyd yn oed yn waeth na honno!' ebychodd Elen yn ddramatig yn ôl ei harfer. 'O leiaf doedd honno ddim yn carco babi! Sdim clem 'da hi. Siriys nawr. Ma hi wedi cloi ei hunan mas o'r tŷ dwywaith, lwcus bo fi gitre. Ma hi wedi malu'r *steriliser,* ac ma hi wedi neud rhwbeth i'r bygi, ma'r hwd yn pallu codi am ryw reswm nawr. So hi'n gallu defnyddio'r peiriant golchi dros ei chrogi. Ma hi wedi shrinco'r rhan fwya o ddillad Walt druan. Ond grynda ar hyn, 'te, ma hi wedi dechre mynd â Walt i ddosbarthiade *Baby Sensory*. Ges i decst gan ffrind i fi gynne, ma ei nani hi yn mynd â'i phlentyn hithe 'na hefyd ac fe welodd hi Samantha – 'na'i henw hi – yn cychwyn am y drws yn gwthio pram rhywun arall! Fydda hi wedi gadel heblaw bod nani'r babi hwnnw wedi gweiddi ar ei hôl. So hi'n dryst i garco jerbil heb sôn am blant! 'Na'r hoelen ola. Ma hi'n goffod mynd. Plis dere nôl, Nina.'

'Ond dydw i ddim yn nani!' protestiais yn wyllt.

Anwybyddodd Elen fy nghri. 'Ni'n gweld dy golli di. Fi a Walt. Plis dere nôl aton ni? Mi dala i ti dwbwl beth dales i i ti y tro diwetha. Plis gweda y doi di? Shgwl, s'a fi fawr o amser, wy fod nôl ar set nawr. Ofynnes i un o'r rhedwyr fy nanfon i draw 'ma. 'Na lwcus bo fi'n ffilmio yn Sir Fôn a lwcus bo fi'n cofio enw'r ysgol ble ti'n gweithio. Ma'r peth i fod, t'wel. Ti fod i ddod yn ôl. Plis gweda y doi di?'

'I Lundain i weithio fel nani i ti?

'Ie.'

'Wel, dwn i'm. Fedra'i ddim jyst...'

'Fi a Walt angen di, Nina. Plis.'

Doeddwn i erioed wedi cael neb oedd fy angen i o'r blaen. Mi roedd yn deimlad braf. Mi ro'n i'n colli Llundain, mae'n rhaid i mi ddweud, a Walter bach. Doedd 'na neb na dim i fy nghadw i yn Llanbedrgoch, nag oedd? A rhaid i mi gyfaddef mi roedd y cyflog hefyd yn ddeniadol. Yn ddeniadol iawn.

'Mi ddo i ar un amod.'

'Beth?'

'Mi ddo'i os y ca'i drawsnewid y stafell sbâr leia yn stiwdio ar gyfer paentio lluniau.'

'Dim problem. Syniad da. Ma sawl un wedi sylwi ar dy lunie di, gyda llaw. Ma un neu ddau wedi holi a fyse diddordeb 'da ti mewn neud *portrait* ohonyn nhw – Matt Smith yn un. Ddath e draw i swper wthnos diwetha. Ofynnodd e pwy o'dd wedi paentio fy llun i. O'dd e wedi dwli arno fe.'

'Wir?' medda finnau yn methu credu fod un o'r cyn Doctor Whos yn licio fy llun i.

'Ond sdim ots am 'ny nawr. Pryd alli di ddechre? Wthnos nesa?'

'Wsnos nesa? Na fedra'i, siŵr. Mi fydd rhaid i mi roi fy notis a ballu. Mi fydd hi'n o leia mis cyn y galla'i gychwyn.'

'Mis! Alla i ddim dishgwl mis! Neu dyn a wŷr beth fydd y groten dwp 'na wedi'i neud!'

Clywyd cnocio ysgafn ar ddrws y swyddfa ac yna agorodd yn araf bach.

'Sciwsiwch fi am darfu ond ma 'na ryw hogyn yn giât y fynedfa yn holi amdanoch chi, Elen. Sôn ei fod wedi cael galwad ffôn ffrantig yn holi lle ydach chi a fynta?'

'Shit, y *runner*. Ma'n rhaid i fi fynd. Plis gweda y doi di, Nina, plis?'

'Fedra'i ddim jyst gollwng bob dim siŵr.'

'Sciwsiwch fi eto, fedrwn i ddim llai na chlywed y sgwrs,' meddai Sara Edwards gan roi ei phig i mewn.

Na allai mwn a'i chlust hi'n dynn ochr arall i'r drws.

'Fel deudodd Nina, fel arfer, mae gofyn i rywun roi mis o notis. Ond gan fod hyn yn amgylchiadau eithriadol dwi'n fodlon gneud bob dim o fewn fy ngallu i ganiatáu i Nina adael yn gynt. Mae Nina a finnau yn dipyn o ffrindiau, yn tydan, Nina? Fyswn i ddim yn licio sefyll yn ei ffordd hi.' Gwenodd wedyn, yr un hen wên fflas yna oedd ganddi hi.

Roedd hi'n siarad fel tasan ni'n dwy'n ffrindiau mynwesol. Ches i ddim hyd yn oed gwahoddiad i'w pharti priodas hi. Er mi gafodd Heulwen a Linda wahoddiad. Roedd Linda'n gwbl argyhoeddedig mai wedi anghofio gofyn i mi oedd hi. Anghofio o faw. Dwi ddim yn meddwl y byswn i wedi mynd beth bynnag ond mi fysa hi wedi bod yn braf cael gwahoddiad, bysa?

'Dwi'n siŵr y gallwn ni ddod i ryw drefniant,' medda hi wedyn.

'Pa fath o drefniant?' gofynnais innau'n amheus. Pennaeth neu beidio doeddwn i ddim yn ei thrystio hi tasach chi'n talu i mi.

'Wel, ella y bysach chi'n fodlon bod yn wraig wadd arbennig i'n cyngerdd hanner canmlwyddiant ni? A chyfrannu rhywbeth bach tuag at y raffl? Mi ddeuda i wrth y llywodraethwyr fod Nina wedi gorfod gadael yn sydyn oherwydd amgylchiadau tu hwnt o arbennig.' Gwenodd yr hen wên hyll yna eto a rhoi winc y tro hwn yr un pryd.

A dyna beth ddigwyddodd. Gorffennais y murlun ar y nos Sadwrn ac erbyn prynhawn dydd Sul ro'n i'n ôl yn Llundain. Mi roedd Linda a Heulwen yn gegrwth pan ddeudes i wrthyn nhw mod i'n codi fy mhac i fynd i weithio fel nani i Elen Protheroe, neb llai.

'Blydi hel, Nina! 'Nest ti gadw hynna'n ddistaw. Fedra'i ddim coelio'r peth,' meddai Linda ar ôl i mi gyfaddef wrth y ddwy fy mod drwy gamddealltwriaeth wedi ffeindio fy hun yn gwarchod ei mab hi. Gwnaeth y ddwy i mi addo'n bendant hefyd y bydden nhw'n cael dod i lawr i aros ata i am benwythnos yn fuan.

Pan ddaeth hi'n noson y cyngerdd anfon ei hymddiheuriadau wnaeth Elen. Yn digwydd bod, roedd ganddi ddigwyddiad arall wedi'i drefnu'r un noson, wel, dêt oedd o a dweud y gwir. Roedd hi a tad Walter wedi ailgyfarfod ar set y gyfres *sci-fi* ym Mynydd Parys. Fo oedd y dyn camera ar y gyfres, ac fel mae'r hen ddihareb yn ei ddweud, 'hawdd cynnau tân ar hen aelwyd'. Ond chwarae teg iddi, mi anfonodd siec anrhydeddus iawn i'r ysgol yn ei lle.

Mi fethais innau hefyd fynd i'r cyngerdd gan fy mod i'n gwarchod Walter bach wrth gwrs. Yn ôl Linda a Heulwen mi roedd neuadd yr ysgol dan ei sang ac mi roedd pawb wedi dotio efo'r murlun. Bu hanes dathliadau'r ysgol yn y wasg hyd yn oed. Anfonodd Heulwen yr erthygl i mi oedd yn cynnwys llun o'r murlun oedd yn y papur bro ac yn y *Daily Post*. Sylwais fod Sara wedi anghofio sôn pwy oedd wedi paentio'r murlun gan ei fod yn dweud yn yr erthygl, a dwi'n dyfynnu; 'Rydym yn ddiolchgar iawn i aelod o'r staff ac i'r disgyblion am baentio'r murlun.' Ond 'na fo, fel roedd Anti Eirlys druan yn arfer ei ddweud, 'Be ti'n ei ddisgwyl gin ful ond cic?'

Llithrodd y dyddiau o un diwrnod i'r llall. Ro'n i wrth fy modd yn edrych ar ôl Walter, roedd o mor annwyl a hoffus. Roedd o'n dechrau siarad erbyn hynny ac mi roedd o'n datblygu i fod yn dipyn o gymeriad bach. Ro'n i'm mynd â fo i'r Clwb Babanod a Phlant Ifanc oedd yn cael ei gynnal yn yr ysgol Gymraeg yn Llundain. Roedd Elen yn awyddus iawn fod Walter yn siarad Cymraeg ac yn cael cyfle i gymysgu gyda phlant eraill oedd yn siarad ein mamiaith. Roedd fy holl amser sbâr a phob gyda'r nos yn mynd i baentio. Ro'n i wedi cael sawl comisiwn yn barod. Ro'n i wedi paentio llun i Matt a Milly (Matt Smith ac Emilia Clarke) ac mi roedd sawl rhiant yn y clwb wedi dangos diddordeb mawr yn fy mhaentiadau ac ambell un wedi prynu llun gen i. Nid yn unig hynny, ro'n i hefyd wedi cael gwahoddiad i gynnal arddangosfa o fy ngwaith mewn oriel gelf fechan.

Diolch i Soriya, nani Toby, oedd hynny. Ar ôl i mi ddychwelyd i Lundain mi wnes i gysylltu efo Soriya a gofyn oedd hi'n ffansi cyfarfod am baned yn y parc. Mi o'n i'n teimlo'n reit euog mod i wedi'i defnyddio hi fel gwnes i er mwyn cael gwybodaeth am sefyllfa Elen ac mi roedd hi i weld yn hen hogan iawn. Dddeudais i wrthi fy mod i wedi gorfod gadael Llundain yn sydyn oherwydd amgylchiadau teuluol. *There's a lot of that about,'* meddai hithau. Fuon ni wedyn yn cyfarfod â'n gilydd yn wythnosol am baned a sgwrs. Cynigiodd i mi fynd efo hi i ddosbarth ioga, ond gwrthod yn glên wnes i ac esbonio fy mod i'n brysur iawn bob nos yn paentio. Dyma fi'n dangos llun o'r murlun iddi a rhai o'r lluniau eraill oedd ar fy ffôn, yn dirluniau a phortreadau ro'n i wedi'u paentio.

Roedd Jasmine, cyflogwr Soriya, yn rhedeg oriel gelf yn

Notting Hill, a dyma Soriya, chwarae teg iddi, yn sôn amdana i. Gofynnodd honno wedyn a fysa hi'n cael dod draw i gael cip ar y paentiadau. A wyddoch chi be? Mi ofynnodd hi a fysa gen i ddiddordeb cynnal arddangosfa o fy ngwaith yn yr oriel. Ro'n i ar ben fy nigon.

Dim ond un peth oedd yn amharu ar fy mywyd. Marc. Roedd rhaid i mi gael gau pen y mwdwl yn lle bod yr holl fusnes wastad fel rhyw gwmwl mawr llwyd uwch fy mhen i. Roedd rhaid i mi gael ysgariad. Roedd blwyddyn a mwy wedi mynd heibio bellach. Ro'n i hefyd wedi penderfynu gwerthu fy nghartref yn Sir Fôn. O'n i ddim yn gweld fy hun yn mynd yn ôl i fyw yno eto.

Felly pan aeth Elen, Walter a'i mam am wyliau i Efrog Newydd am fis i ymweld â Rhydian a'i bartner, manteisiais innau ar y cyfle i fynd yn ôl i Sir Fôn i roi trefn ar bethau, sortio a chlirio'r tŷ er mwyn ei roi ar y farchnad. Mi es i draw hefyd i weld twrna ynglŷn â chael ysgariad.

Yn ffodus, y tro hwn, un o'r partneriaid welais i yn hytrach na'r llanc oedd prin allan o'i glytiau y gwelais i y tro diwethaf. Ond yn anffodus mi roedd yna broblem fach, sef y ffaith nad oedd gen i'r syniad cyntaf ble oedd fy ngŵr.

'Does gynnoch chi ddim cyfeiriad iddo fo?' gofynnodd y gyfreithwraig yn syn.

'Ysgydwais fy mhen. 'Dwi ddim yn gwybod os ydi o yn y wlad yma hyd yn oed.'

Ysgydwodd y twrna ei phen hithau wedyn a brathu ei gwefus.

'Oes gynnoch chi unrhyw gysylltiad efo'i deulu fo, 'ta?' gofynnodd wedyn.

'Dim. Unig blentyn ydi o ac mae o wedi colli ei fam a'i dad ers blynyddoedd.'

'Mm. Mae hynny'n gwneud pethau braidd yn gymhleth felly.'

Pam nad oedd hynny yn fy synnu i? ochneidiais efo fi fy hun.

'Yr unig beth allwn ni drio ei wneud felly ydi anfon datganiad i'r llys i gefnogi cais i hepgor cyflwyno'r ddeiseb ysgaru i'r Atebydd gan na ellid cyflwyno'r papurau'n bersonol iddo fo.'

Wel, oedd hynny'n swnio'n well na dim i mi. O'r diwedd mi roedd yna'r llygedyn lleiaf erioed o oleuni i'w weld ym mhen draw'r twnnel.

Ond mi ddaeth y goleuni yn gynt na'r disgwyl. A golau 60,000 watts oedd o hefyd. Ymhen rhyw dri mis neu lai wedyn daeth Marc i'r fei.

RHYWUN I DY WELD TI

UN GYDA'R NOS oedd hi. Dwi'n cofio'r noson fel tasa hi'n ddoe. Neu'n neithiwr yn hytrach. Ro'n i brysur yn fy stiwdio yn paentio. Ro'n i ynghanol paentio llun o draeth Porth Swtan, traeth yng ngogledd orllewin Môn, yn yr hwyrnos efo'r haul yn machlud. Orffennais i byth mo'r llun.

Roedd Walter bach yn cysgu'n sownd ers meitin. Roedd Elen a Steve, y dyn camera a'i phartner erbyn hyn, lawr grisiau yn gwylio Netflix. Dwi'n cofio i mi glywed sŵn cloch y drws ffrynt yn canu o bell ond feddyliais i ddim byd am y peth. Gymerais i mai ffrindiau Elen oedd wedi galw draw fel roeddynt yn arfer ei wneud. Chlywais i ddim Elen yn dod i fyny'r grisiau gan fy mod i'n canolbwyntio ar baentio'r haul yn machlud dros fynydd Twr, Caergybi. Chlywais i ddim Elen yn cnocio'n ysgafn ar y drws ac yna'n ei agor yn dawel a chamu i mewn.

'Nina, ma rhywun 'ma i dy weld ti,' meddai hi. Roedd golwg ddifrifol iawn ar ei hwyneb ac mi wyddwn i fod rhywbeth mawr yn bod.

O'n i'n gwybod yn iawn pwy oedd yna cyn iddi ddweud.

'Nina,' medda hi eto. 'Ma'r heddlu 'ma. Ma'n nhw moyn gair 'da ti.'

Wnes i ddim dychryn o gwbl. A dweud y gwir, ro'n i wedi bod yn rhyw hanner disgwyl hyn. Dilynais Elen i lawr y grisiau lle'r oedd dau blismon yn aros amdana i. Awgrymodd un y byddai'n well i mi eistedd i lawr. Ufuddheais innau'n syth.

Dwi'n cofio nhw'n dweud wedyn eu bod nhw wedi ffeindio corff ac mai corff Marc oedd o. A dyma nhw'n dweud wedyn mai ym Mallorca yr oedden nhw wedi ei ffeindio.

'Mallorca?' medda finnau wrthyn nhw'n syn. 'Ydach chi'n siŵr mai corff Marc oedd o? Be oedd o'n ei neud yn fan honno? Ar ei wyliau oedd o?' gofynnais wedyn.

Eglurodd yr heddlu ei fod o'n gweithio fel dreifar bws i gwmni Transunion ym maes awyr Palma yn hebrwng teithwyr nôl a blaen o'r maes awyr i'r gwestai.

'Damwain bws gafodd o?' sibrydais gan gymryd sip o'r brandi mawr roedd Steve newydd ei dywallt i mi.

Ysgwyd eu pennau wnaeth yr heddlu a datgan eu bod yn amau'n fawr mai damwain beic gafodd o.

'Moto beic, dach chi'n feddwl? Damwain efo'r moped, ia?' cywirais y ddau.

Ysgwyd eu pennau unwaith eto wnaeth yr heddlu a dweud mai damwain beic gafodd o yn Cap de Formentor. Esboniodd un heddwas fod yr ardal honno yng ngogledd yr ynys yn llwybr poblogaidd iawn gan feicwyr lôn oherwydd sialens yr elltydd serth a'r golygfeydd gwych sydd i'w cael yno. Cyfuniad peryglus. Roedd hi'n edrych yn debyg bod Marc wedi dod lawr un o'r elltydd yn rhy gyflym ac wedi colli rheolaeth ar y beic. Roedd o a'i feic wedi mynd dros y clogwyn. Oni bai i griw oedd yn hwylio heibio'r trwyn mewn cwch ddigwydd sylwi ar rywbeth coch ar silff un o'r creigiau, ella fydda fo byth wedi dod i'r golwg. Y rhywbeth coch a welson nhw oedd top leicra seiclo Marc. Roedd y corff wedi bod yno ers wythnosau, meddan nhw.

'Ond tydi Marc ddim yn seiclo, mopeds ydi ei bethau fo. Dach chi wedi gneud camgymeriad. Ddim y fo ydi o siŵr,' protestiais. 'Does gan Marc ddim beic. Tydi o ddim yn seiclo.'

Eglurodd yr heddlu ei bod hi'n edrych yn debyg ei fod o wedi dechrau seiclo ar ôl symud i Mallorca. Roedd rhai o'i gyd-weithwyr wedi cadarnhau hynny gan fod un neu ddau ohonyn nhw wedi bod yn seiclo efo fo. Roedd y cwmni bysys wedi cysylltu efo'r heddlu i adrodd bod Marc ar goll ar ôl iddo beidio troi fyny i'w waith. Doedd o chwaith ddim yn ateb ei ffôn a phan aeth cyd-weithiwr draw i'w fflat i chwilio amdano doedd dim siw na miw ohono.

Fedrwn innau ddim peidio â dweud wedyn ella ei fod o wedi diflannu eto. Fysa fo ddim y tro cyntaf iddo fo jyst codi ei bac a mynd. Ond roedd yr heddlu'n gwbl argyhoeddedig mai y fo oedd o gan fod bos Marc wedi cadarnhau mai corff Marc oedd y corff. Roeddynt yn gadael i mi wybod gan mai y fi oedd ei wraig o. Fy enw i oedd i lawr fel ei berthynas agosaf ar ei basbort.

'Wy'n methu credu'r peth. Ym Mallorca o'dd e,' meddai Elen ar ôl i'r heddlu adael.

'Mewn damwain gollais i fy mam a 'nhad hefyd,' medda fi'n dawel gan lyncu 'mhoer.

'O, druan bach, dere 'ma,' meddai Elen gan fy nghofleidio'n dynn.

'O leia fydda'i ddim angen ysgariad rŵan. Arbedith hynny rywfaint o bres i mi,' medda fi mewn ymgais uffernol o dila i ysgafnhau pethau.

Mi driais i wenu ond rhywsut chyrhaeddodd y wên ddim fy ngwep. Sychais y dagrau oedd yn mynnu llifo lawr fy moch. O'r diwedd. Roedd y cwbl ar ben.

DDIM YR UN DDYNAS

CLADDWYD MARC RYWLE ym Mallorca. O'n i ddim yn gweld pwynt mynd i gost i hedfan y corff yn ôl yr holl ffordd adref. Es i ddim i'r cynhebrwng chwaith.

Gan mai y fi oedd ei berthynas agosaf, ei wraig o felly, y fi oedd yn etifeddu pob dim ar ei ôl o. O'n i'n lwcus iawn na wnes i ddim etifeddu unrhyw ddyledion oedd ganddo. Roedd o'n amlwg ei fod wedi llwyddo i dalu'r rhieni i gyd efo fy mhres i. Fel ro'n i wedi'i amau, hefyd, doedd ganddo fo fawr o bres ei hun ar ôl. Dim ond un ased gwerthfawr oedd ganddo fo sef ei fflat yn Palma.

Rhyw hen fflat bach digon di-raen oedd o yn y bôn, ond yn werth ffortiwn oherwydd ei leoliad. Yn ffodus i mi roedd yna adeiladwr yn awyddus iawn i ddatblygu'r fflatiau, eu hail drin nhw a'u trawsnewid yn fflatiau moethus. Oherwydd hynny mi ges i bris teg iawn am y fflat, dwbl neu drebl ei werth gwreiddiol. Beth wnes i wedyn efo'r pres hwnnw ac efo'r pres ges i am fy nhŷ yn Sir Fôn oedd prynu fflat bach dwy stafell wely i mi fy hun yn ardal Queen's Park Llundain.

Yn y fan honno rydw i'n byw bellach yn gwneud be dwi'n ei garu fwyaf, sef paentio. Yn hytrach na phaentio traethau Sir Fôn dwi bellach yn paentio traethau sydd o fewn tafliad carreg i Lundain, neu daith awr neu ddwy mewn trên i fod yn fanwl gywir. Mae'r lluniau'n boblogaidd iawn a dwi'n dechrau gwneud enw i mi fy hun fel artist ac yn cael prisiau ardderchog am fy lluniau. Mae Jasmine yn arddangos a gwerthu fy lluniau yn ei horiel.

Bob dydd Mercher dwi'n gwirfoddoli i helpu plant yr ysgol Gymraeg i ddarllen. Dwi wrth fy modd yn cael bod yn ôl yng nghwmni'r hen blant bach unwaith eto. Mae pawb yn glên iawn yna.

Sôn am glên, dwi hefyd wedi cyfarfod rhywun arall ac mi ydan ni mewn perthynas selog ers rhyw dri mis bellach. Ar y we wnaethon ni gyfarfod. Tim ydi ei enw fo, un o Southampton yn wreiddiol ond yn byw yn Camden ers blynyddoedd erbyn hyn. Fuon ni'n siarad efo'n gilydd am wythnosau cyn i ni drefnu i gyfarfod wyneb yn wyneb. Ar ôl i mi losgi fy mysedd efo Marc dwi wedi dysgu gwers ddrud ac yn cymryd pwyll y tro yma. Dwi wedi cyfarfod ei deulu fo a phob dim. Ma'i fam o'n gariad o ddynes. Mi oedd parti pen blwydd priodas ei rieni yn ddiweddar ac mi ges i wahoddiad i'r parti. Mae o wedi cael ysgariad ac mae ganddo fo ddau o fechgyn, naw a chwech oed. Wnewch chi ddim coelio be ydi ei waith o. Na, dim dreifar bus, diolch i Dduw, ond ffitio carpedi. Tasa fo'n fyw mi fysa'r hen Yncl Dilwyn wedi bod wrth ei fodd ac yntau, os cofiwch chi, yn arfer bod yn berchen ar siopau carpedi.

Penderfynais brynu fflat i mi fy hun ar ôl i Elen gael cynnig rhan mewn rhyw gyfres Americanaidd oedd yn cael ei ffilmio yn Los Angeles. Cytundeb dwy flynedd. Mi ges i gynnig mynd efo nhw ond er i Elen drio ei gorau glas i 'mherswadio i, gwrthod yn glên wnes i. Maen nhw wedi ymgartrefu bellach yn Los Angeles ac mae Steve hefyd wedi cael gwaith fel dyn camera. Er mawr siom iddi hi, tydi hi byth wedi cael gwahoddiad i fod yn westai ar raglen *Beti a'i Phobol* chwaith. Mi ydan ni'n dal i gadw mewn cysylltiad agos â'n gilydd ar waethaf y pellter. Mi fydda i'n siarad yn aml efo nhw ar FfesTeim. Es i draw i LA i aros atyn nhw dros Dolig diwethaf ac maen nhw'll tri'n bwriadu dod draw i Lundain i fy ngweld innau ha' nesaf. Mae Walter bach bron yn bedair bellach ac Anti Nina mae o yn fy ngalw i bob gair yn ei acen Americanaidd.

Dwi'n dal mewn cysylltiad efo Heulwen a Linda hefyd. Digwydd bod mi fuodd y ddwy draw yn aros efo fi penwythnos diwethaf. Ew, mi gawsom ni hwyl. Sôn am fwyta, siopa ac yfed!

'Dwyt ti ddim yr un ddynas, Nina. Lle ma'r Nina swil a tawel 'na wedi mynd?' dwi'n cofio Heulwen yn deud gan sipian ei choctel.

Gwenu'n dawel arni wnes i. Ond mae hi yn llygaid ei lle. Dydw i ddim yr un ddynes ag o'n i ac mae yna lot o bethau'n gyfrifol am hynny. Lot fawr iawn hefyd.

A dyna ni.

Mi fyswn i wedi gallu dod â fy stori i ben yn y fan yna. Mae o'n lle bach digon twt a thaclus i orffen, tydi? Diweddglo di-fai i fy hanes. Ond y drwg ydi mae 'na fwy na hynny i fy stori i. Lot mwy hefyd.

Rŵan, 'ta, mae gen i gyfaddefiad i'w wneud a chyfaddefiad mawr ydi o hefyd.

Y noson honno pan landiodd yr heddlu yn 9 Victoria Gardens i ddweud wrtha i am Marc, ro'n i'n gwybod yn barod.

HELÔ *STRANGER*

R O'N I'N GWYBOD yn barod mai ym Mallorca oedd o.
Sut felly, medda chithau? Wel, pan ddes i yn fy ôl i Sir
Fôn yr adeg honno i roi'r tŷ ar y farchnad a mynd i weld twrna
ac ati, mi wnes i ddigwydd taro ar Anwen yn Lidl un bore. Yn
yr eil gwin o'n i, roedd hi'n nos Wener ac o'n i ffansi gwydriad
o win neu ddau efo fy samwn i swper y noson honno. Yn estyn
am botel o Pinot Grigio o'n i pan glywais i lais yn gweiddi dros
y lle.

'Helô *stranger*! Sut wyt ti erstalwm iawn?'

Troais rownd i wynebu'r llais. Dyna lle safai Anwen, efo'i
throli, yn frown fel beran.

'Be ti'n neud ffordd hyn, 'ta? O'n i'n meddwl dy fod ti'n
byw'n Llundain dyddiau yma. Ew, ma 'na flynyddoedd ers
pan fues i yn Llundain. Ar drip býs efo dy Anti Eirlys os dwi'n
cofio'n iawn. Mynd i weld sioe oedden ni. Dwi'm yn cofio pa
sioe chwaith ond dwi yn cofio'r hotel. Ow, digalon, Nina bach.
Budur! Blewyn du cyrliog diarth yn y bath. Ych a fi. Ac oer,
lats bach! Gysgais i yn fy siwmper.'

'Lliw da arnoch chi, Anwen. Ydach chi wedi bod i ffwrdd?'
gofynnais yn glên ar ôl iddi gymryd ei gwynt. (Ro'n i'n damio
fy mod i wedi ffansïo potel o win. Fyswn i wedi llwyddo i'w
hosgoi hi fel arall. Hi a'i siarad gwag.)

'Newydd ddod yn ôl ddoe o Mallorca. O, lle braf. Ti 'di
bod yna? Yn Alcúdia oedden ni. Hotel absolwtli ffabilwlys. A'r
bwyd! A'r peth gora un, doedd 'na ddim plant ar gyfyl y lle.
Adults only.'

'Braf iawn.'

'Oedd mi oedd o. Job dod nôl i'r oerfel 'ma a sgin i ddim briwsionyn o fwyd yn tŷ. Dim torth na llefrith. Be ti'n neud yn Llundain 'na, 'ta? Gweithio fel nani glywais i.'

'Ia, dyna chi.'

'I ryw actores enwog, ia ddim?'

Roedd hi'n amlwg fod y jyngl dryms wedi bod yn drymio'n wyllt wallgo rownd ardal Llanbedrgoch.

'Ia dyna chi, i Elen Protheroe.'

'Sut un ydi honno? Ydi hi'n beth glên? Ti'n gwybod fel ma'r actorion 'ma'n gallu bod.'

'Ydi, clên iawn chwarae teg.'

'Mae hi wedi gneud yn dda iddi hi ei hun, tydi? Dwi'n ei chofio hi'n actio yn *Pobol y Cwm* a dyma hi rŵan yn ffilm star.'

'Wel, neis eich gweld chi, Anwen…'

'O, sôn am weld rhywun. Gesi di byth pwy welais i ym Mallorca.'

'Pwy?'

'Marc. Marc chdi.'

'Ym Mallorca? Ar ei wyliau oedd o?' gofynnais yn syn.

'Gwyliau? Ew, naci. Gweithio.'

'Be? Fel weityr felly?'

'Weityr? Naci siŵr, fel dreifar bus. Weles i o yn y maes awyr ar ôl i ni landio.'

'Be?'

O'n i'n methu credu 'nghlustiau. Roedd hi'n amlwg fod Anwen wedi camgymryd rhywun arall am Marc. Pam y bysa fo'n dreifo bysys ym Mallorca o bob man?

'O'n i'n ista ar y býs yn y maes awyr yn disgwyl i ni gychwyn am ein hotel,' meddai Anwen gan gario yn ei blaen. 'Y tro yma am tsiênj, mi roedd fy nghês i yn un o'r rhai cynta i ddod drwodd. Fel arfer fydda i'n gorfod disgwyl am hydoedd wrth yr hen garwsél 'na. Mae fy nghês i yn un o r rhai diwetha os nad y diwetha fel arfer a finna'n panicio'n lân yn meddwl y bydda i'n gorfod byw a bod drwy'r holides i gyd ond yn y dillad sydd gen i amdana i. Dyna ddigwyddodd i Mona, sy'n byw drws nesa ond un i mi un flwyddyn, welodd honno mo'i chês eto. Oedd rhaid i'r graduras fenthyg dillad ei chwaer yng nghyfraith a rheini ddau seis rhy fawr iddi. Dyna pam fydda i wastad yn stwffio dau bâr o nicers, ffrog a fy siwt nofio i mewn i fy *hand luggage*, jyst rhag ofn.'

'Oeddech chi'n deud eich bod wedi gweld Marc ym Mallorca?' medda fi yn trio fy ngorau glas i lywio'r sgwrs yn ôl i'w dadleniad. Job ar y naw efo Anwen oedd wastad yn mynnu mynd ar danjent.

'Wel, o'n. Dyna le ro'n i'n ista ar y býs. Yn digwydd bod o'n i'n ista wrth y ffenest. Mi oedd Edwina – efo hi o'n i wedi mynd ti'n gweld. Ma hi newydd golli ei gŵr, graduras bach, ac o'n i'n meddwl y bysa teimlo gwres yr haul ar ei chefn yn gneud byd o les iddi hi. Wel, mi oedd hi yn brysur yn trio anfon tecst i Siân ei merch i ddeud wrth honno ein bod ni wedi landio'n saff. O'n i'n sbio allan drwy'r ffenest i weld be welwn i, fel ma rhywun, a dyma fi'n sylwi ar y dreifar yn y býs oedd wedi'i barcio drws nesa i ni. Mi roedd y cradur yn chwys domen yn llwytho cesys i mewn i'r bŵt a mi oedd o'r un sbit â Marc, cofia.'

'Ddim y fo oedd o, 'chi. Rhywun tebyg iddo fo, ma siŵr,' medda finnau yn llwyr argyhoeddedig fod Anwen wedi gwneud camgymeriad.

'Wel dyna o'n innau yn ei feddwl hefyd,' meddai hi wedyn. 'Maen nhw'n deud bod gan bawb ei *doppelganger*, dydyn? O'n i ar fin rhoi pwniad i Edwina i ddeud wrthi fod dreifar y býs drws nesa'r un ffunud â dy ŵr di, ond dyma fo ar yr union eiliad honno yn digwydd codi ei ben a sbio i fy nghyfeiriad i a fo oedd o yn bendant. Nath o ddim fy adnabod i wrth gwrs. Ond o'n i yn ei adnabod o yn iawn. Dydw i a dy Anti Eirlys wedi bod ar wn i ddim faint o dripiau efo fo.'

'Dach chi'n siŵr? Berffaith siŵr mai y fo oedd o?'

'Sbia drosta chdi dy hun, 'mechan bach i.' A dyma hi'n estyn ei ffôn o'i bag a dechrau sgrolio'n wyllt drwy ei lluniau. 'Aros di rŵan. Dyma fo... O na, gwylia di am funud bach, Edwina efo'r weityr bach clên 'na yn Puerto Pollensa ydi hwnna. Ces o'dd hwnnw. A!... Dyma chdi.'

A dyma hi'n pasio ei ffôn i mi ac ar y sgrin roedd llun dyn mewn crys gwyn, trowsus du a gwallt modrwyog du ganddo fo. Pwysais ar y sgrin er mwyn cael golwg fanylach ar ei wyneb. Marc. Doedd dim dwywaith mai Marc oedd o.

Wn i ddim sut wnes i yrru adref. O'n i ddim yn gallu credu ei fod o ym Mallorca. Ym Mallorca o bob man! Wnes i erioed ystyried y posibilrwydd y byddai wedi ei heglu hi i'r fan honno. Ond wrth gwrs mi roedd o'n hanner Sbaenwr, hefo'i nain yn dod o Malaga. Roedd o'n gallu siarad Sbaeneg yn rhugl hefyd. Ond beth roedd o'n ei wneud ym Mallorca? Wel, mi o'n i'n mynd i ffeindio allan. Dyna un o'r pethau cyntaf o'n i'n bwriadu ei ofyn iddo pan fyswn i'n mynd i'w weld o. Ac mi o'n i'n mynd i'w weld o hefyd. Ro'n i'n bwriadu mynd i Mallorca y ffordd gyntaf.

SIWRNAI SAETHUG?

A R ÔL CYRRAEDD adref es i'n syth ar y we i chwilio am ffleit i Palma. Yn ffodus, mi roedd yna sedd ar gael ar y ffleit hanner awr wedi saith y bore wedyn yn cyrraedd am chwarter wedi un ar ddeg. Heb feddwl ddwywaith bwciais y ffleit a bwcio stafell yn un o'r gwestai agosaf i'r maes awyr.

Es i ddim i fy ngwely'r noson honno, ro'n i wedi cynhyrfu gormod. Ro'n i'n un o nerfau. Doedd waeth i mi gychwyn am y maes awyr ddim. Ro'n i wedi parcio fy nghar ac wedi mynd drwy pasbort a seciwriti cyn hanner awr wedi tri y bore. Ro'n i wedi meddwl y byddwn i wedi cael cyfle i gysgu rhywfaint ar yr awyren ond wrth gwrs chysgais i ddim winc ar honno chwaith.

Erbyn i ni lanio roedd y nerfau wedi hen gilio, teimlo'n flin o'n i erbyn hynny. Blin efo'r ffordd ges i fy nhrin gan Marc. A dyma fo unwaith eto yn fy arwain i ar siwrnai arall i chwilio amdano. Roedd o wedi fy arwain i ar siwrnai saethug i Lundain yn barod, ai siwrnai saethug oedd hon hefyd?

Dwi'n cofio cerdded allan o'r maes awyr i'r gwres llethol. Dilynais y myrdd o dwristiaid disgwylgar oedd yn llusgo eu cesys i gyfeiriad y maes parcio lle'r oedd y bysiau yn disgwyl i'w cludo i'w gwestai. Roedd hi'n brysur yno'r bore hwnnw, yn ogystal â'r ffleit yr o'n i arni roedd ffleit arall o Firmingham newydd lanio hefyd. Suddodd fy nghalon pan welais i y dwsinau a dwsinau o fysys yn eu rhesi taclus. Roedd hyn mor anobeithiol â chwilio am nodwydd mewn tas wair. Ro'n i o fewn trwch blewyn i droi ar fy sawdl a neidio ar yr awyren gyntaf yn ôl i Fanceinion. Be oedd wedi dod dros fy mhen i i wneud y ffasiwn beth?

Yna mi glywais i lais Anti Eirlys yn fy mhen i'n dweud, 'Tyrd yn dy flaen, cyw bach, ti wedi dŵad cyn belled â hyn. Paid â rhoi'r ffidil yn y to rŵan. Mae o yma'n rwla, sdi. Paid â gadael i'r bastyn gael get awê efo be wnaeth o.'

Cymerais anadl fawr a dechrau chwilio am fy ngŵr.

Roedd fy nghalon i'n curo fel na fu erioed y ffasiwn beth. Dyna lle ro'n i fel rhyw gi sniffio yn chwilota am gyffuriau ymysg y myrdd o fysiau. Roedd Anwen wedi dweud wrtha i mai i gwmni Transunion roedd o'n gweithio felly pan welais i ddau yrrwr segur yn sgwrsio tu allan i un o'r bysiau, gofynnais yn glên iddynt a oedd Marc Jones yn gweithio'r diwrnod hwnnw. Dim ond codi eu hysgwyddau wnaeth y ddau ac ysgwyd eu pennau.

'Oficina,' medda un ohonynt gan bwyntio i gyfeiriad y maes awyr. 'Ask in oficina,' medda fo eto.

Erbyn deall roedd gan y cwmni swyddfa tu mewn i'r maes awyr, felly yn ôl i mewn â fi. Ges i hyd i'w stondin heb ddim trafferth o gwbl. Roedd hogyn clên tu ôl i'r ddesg a dyma fi'n dechrau rhaffu celwydda wrtho fo, yn dweud fy mod i'n arfer byw drws nesaf i Marc ac yn ffrindiau mawr. Doedden ni ddim wedi gweld ein gilydd ers blynyddoedd ond o'n i wedi clywed ei fod o wedi symud i Mallorca ac yn gweithio yn y maes awyr. Gan fy mod i'n digwydd bod ar fy ngwyliau ym Mallorca ro'n i'n meddwl y byswn i'n rhoi syrpréis iddo fo. Tybed oedd o'n gweithio heddiw? gofynnais yn obeithiol.

Dechreuodd yr hogyn deipio i mewn i'w gyfrifiadur. Syllodd ar y sgrin am sbel, gwgodd ac yna ysgydwodd ei ben.

'*We have no Marc Jones working here,*' meddai'r hogyn mewn acen Sbaeneg hyfryd

Rhoddodd fy mol dro. O'n i'n gwybod bod Anwen wedi gwneud camgymeriad. O'n i wedi bod mor ffôl â'i chredu hi. Ond beth am y llun, meddyliais.

'*But we have a Marcello Jones?*' medda fo wedyn.

'*Marcello. Of course. Yes, that's him,*' medda finnau gan lyncu fy mhoer, fy nghalon i'n curo'n gyflymach nag oedd hi'n barod.

'*But he not working today. He here tomorrow morning, eight thirty.*'

A dyna'r frawddeg orau i mi ei chlywed ers erstalwm iawn, iawn.

SUT MA DY *PRICKLY HEAT* DI?

ER MAWR SYNDOD i mi, mi gysgais i fel twrch y noson honno. Roedd bod ar fy nhraed am bedair awr ar hugain y diwrnod cynt heb gysgu winc wedi helpu beryg. Y bore wedyn, ar ôl paned o goffi sydyn yn y gwesty, roedd fy mol i'n troi gormod i fwyta unrhyw fath o frecwast, nôl â fi mewn tacsi i'r maes awyr.

Er ei bod hi'n weddol gynnar yn y bore, roedd hi'n brysur ym maes parcio'r bysys. O fy mlaen gwelais yrrwr bws yn sefyll o flaen bws Transunion yn siarad efo rep cwmni gwyliau. Hofrais o gwmpas am sbel hyd nes i'r rep adael ac yna bachais ar fy nghyfle a chamu draw at y gyrrwr.

'*Excuse me,*' medda fi wrtho fo.

Trodd ata i'n syn.

'*I'm looking for Marcello. Marcello Jones, he's a bus driver with Transunion?*' medda fi wedyn.

'*He over there,*' medda fo mewn acen Sbaeneg hyfryd. '*Number forty six,*' pwyntiodd wedyn.

Diolchais yn glên iddo a throi ar fy sawdl i gyfeiriad bws rhif pedwar deg chwech. Cyflymai fy nghalon efo pob cam ro'n i'n ei gymryd at y bws.

A dyna lle oedd o yn llwytho cesys i mewn i'r bŵt. Oedd o heb newid dim. Edrychai mor gorjys ag erioed. Well os rhywbeth. Roedd ganddo liw haul bendigedig ac roedd ei wallt fymryn yn hirach. Arhosais yn amyneddgar a'i wylio o bell nes iddo orffen llwytho. Yna camais tuag at fy ngŵr.

'Iawn, Marc?' medda fi wrtho fo yn trio fy ngorau glas i guddio'r emosiwn o fy llais.

Cododd ei ben gan edrych i fyny'n wyllt. Ddylech chi fod wedi gweld ei wyneb o. Er waethaf y lliw haul bendigedig gallech chi ddweud ei fod o wedi gwelwi.

'Be ti'n neud yma?' gofynnodd yn syn.

'Dyna'r croeso dwi'n ei gael gen ti? A finnau wedi fflio yr holl ffordd yma i dy weld ti?'

Ddeudodd o ddim byd.

'Gyda llaw, sut ma dy *prickly heat* di? O'n i'n meddwl dy fod ti ddim yn côpio'n dda efo gwres? Diodda'n ofnadwy efo *prickly heat*, heb sôn am y pryfaid, dyna ddeudaist di, os dwi'n cofio'n iawn.'

'Be t'isio?' hisiodd. 'Ti'm yn gweld mod i'n gweithio?'

Anwybyddais y sylw a medda fi wrtho, 'Dau beth dwi isio. Dwi isio pob ceiniog y gwnest ti eu cymryd, neu eu dwyn yn hytrach o'r cyfri banc 'na yn ôl, a'r ail beth dwi isio ydi difôrs.'

'Pres ni oedd o, o'r *joint* acownt. O'dd gin i berffaith hawl i gymryd o,' medda fo'n larts i gyd. 'Chdi dy hun ddeudodd "Fy mhres i ydi dy bres di."'

Mi oedd o'n iawn hefyd. Dwi'n cofio dweud hynny wrtho fo'n anffodus.

'Ond o'n i ddim yn disgwyl i ti bygro i ffwrdd efo fo nag o'n,' medda fi wrtho fo. 'Iwsio fi wnest di, 'de. Fy mhriodi i i gael at bres Anti Eirlys.'

O'i ddiffyg ymateb gwyddwn fy mod i wedi taro'r hoelen ar ei phen. Roedd fy amheuon i'n wir felly. Charodd o erioed mohona i.

'Yli, fedra i ddim siarad efo chdi rŵan. Gin i lond býs yn fyma angen eu danfon i'w hotels.' Trodd i ffwrdd oddi wrtha i a dechrau brasgamu i gyfeiriad sedd y gyrrwr. Rhuthrais innau ar ei ôl.

'Pryd fedri di siarad efo fi, 'ta, Marc?' medda fi wrtho gan afael yn ei fraich. 'Dwi ddim wedi fflio yr holl ffordd yma i chdi fy anwybyddu fi.'

Ro'n i'n benderfynol fy mod i'n mynd i gael esboniad ganddo am y cwbl, ro'n i hefyd yn benderfynol mod i'n mynd i gael fy mhres yn ôl ac addewid pendant o ysgariad.

'Bore fory. Tydi'n shifft i ddim yn dechrau tan pnawn. Wna'i dy gyfarfod di'n rhwla. Lle ti'n aros?'

Dyma fi'n dweud enw fy ngwesty wrtho.

'Wela'i di'n fanno am naw,' medda fo cyn diflannu i mewn i'r bws a chau'r drws ar ei ôl.

Be oeddwn i am wneud efo fi fy hun weddill y diwrnod? Bron i ddiwrnod cyfa', meddyliais wedyn. O'n i ddim ffansi mynd nôl i'r gwesty ac eistedd yn y fan honno drwy'r dydd yn gwneud dim byd ond hel meddyliau. O'n i ddim wedi meddwl dod â gwisg nofio efo fi i orweddian wrth y pwll (er waetha cyngor Anwen i bacio un yn fy mag llaw). A beth bynnag mi roedd hi'n ddigon cymylog y diwrnod hwnnw.

Tra o'n i'n trio cael hyd i ddesg cwmni Transunion y diwrnod cynt, ro'n i wedi gweld llwythi o wahanol gwmnïau llogi ceir. Mi ges i fflach o ysbrydoliaeth. O'n i ddim angen car mawr na chrand, dim ond rhywbeth i fynd â fi am dro i weld ychydig o'r ynys. Waeth i mi wneud hynny ddim a mi fyddai hynny'n pasio rhyw awr neu ddwy i mi. A dyna wnes i. Ar ôl gwneud y gwaith papur angenrheidiol, ro'n i'n lwcus mod i wedi dod â fy nhrwydded yrru efo fi, gyrrais yn fy nghar bach coch yn ôl i'r gwesty a gofyn a oedd yna ystafell ar gael y noson honno hefyd. Yn ffodus mi oedd yna un, diolch byth.

Ar ôl sortio'r stafell roedd gweddill y diwrnod i gyd o 'mlaen i. Doedd gen i ddim y syniad cyntaf le i fynd chwaith. Ro'n i wedi cael map gan y cwmni llogi ceir a sylwais ar yr enw Alcúdia, yr unig le cyfarwydd i mi gan i mi gofio mai yn y fan honno roedd Anwen a'i ffrind wedi aros. Waeth i mi fynd am dro i fanno ddim.

Ymhen llai nag awr ro'n i wedi cyrraedd yr hen dref Rufeinig yng ngogledd yr ynys gyda'r waliau cerrig trwchus yn ei hamgylchynu. Yn ddigon ffodus ges i hyd i faes parcio a chael lle i barcio yn ddigon didrafferth. Yn digwydd bod y diwrnod hwnnw, roedd hi'n ddiwrnod marchnad yno. Roedd stondinau ar hyd a lled y strydoedd bach culion. Erbyn hyn, a finnau heb gael brecwast na fawr o swper y noson cynt, mi ro'n i ar fy nghythlwng. Anelais am y caffi cyntaf a welais yn y sgwâr oedd yn llawn llefydd i fwyta. Eisteddais wrth fwrdd bychan y tu allan ac ordro diod oer, coffi a brechdan i mi fy hun. Cymaint o'n i'n mwynhau fy hun yn eistedd yno yn gwylio'r byd a'i bethau'n pasio heibio ar ôl i mi orffen fy mrechdan, ordrais baned o goffi arall. Wel, oedd waeth i mi eistedd yn y fan honno ddim, doedd dim byd arall yn galw, nag oedd? O'n i jyst yn gresynu nad oedd gen i bapur a phensil er mwyn i mi gael sgetsio'r olygfa o 'mlaen i. Es i am dro bach wedyn rownd y farchnad, phrynais i ddim byd chwaith ac wedyn cerddais o gwmpas y waliau Rhufeinig. Rhyw fynd a dod roedd y cymylau drwy'r bore ond erbyn y pnawn roedd golwg glaw arni. Roedd hi'n bryd i mi fynd yn ôl i'r gwesty.

Yr holl ffordd yn ôl i Palma ro'n i'n methu peidio â meddwl am Marc eto. Y ffordd roedd o wedi fy nhrin i. Mae'n rhaid ei bod hi wedi cymryd misoedd o waith cynllunio a threfnu ar ei ran o i allu symud i fyw yma, meddyliais. Ers cyn i ni briodi synnwn i damaid. Oedd o wedi defnyddio'r holl bres wnaeth

o ei gymryd i dalu am ei ddyledion gamblo? Oedd o erioed
wedi 'ngharu i? Na, dwi ddim yn meddwl ei fod o. Ac mi oedd
sylweddoli hynny'n brifo, yn brifo lot.

MAE'R GWIR YN BRIFO

R O'N I'N RHYW hanner amau na fyddai Marc yn troi fyny'r
bore hwnnw. Fyddwn i ddim wedi rhoi dim byd heibio
fo bellach. Syndod o'r mwyaf felly oedd ei weld o'n disgwyl
amdana i yn nerbynfa'r gwesty a hithau cyn naw o'r gloch.
Ond ges i fwy o sioc a syndod byth ei weld o wedi ei wisgo o'i
gorun i'w sawdl mewn dillad beicio. Y dillad leicra tynn mae
beicwyr fel Geraint Thomas a'r rheini yn eu gwisgo. Roedd o
braidd yn ansad ar ei draed gan ei fod yn gwisgo esgidiau beic
pwrpasol sy'n anodd cerdded ynddynt gan fod yna ryw glipiau
plastig o dan yr esgid, sylwais. O dan ei fraich cariai helmed.

'Ers pryd ti'n reidio beic? Lle ma'r mopeds wedi mynd?'
gofynnais yn gegrwth yn cael trafferth tynnu fy llygaid oddi
ar ei becyn amlwg.

'Dwi wedi'u gwerthu nhw. Beicio lôn dwi'n ei neud rŵan
a dwi'n mynd am reid syth wedyn. Sgin i ddim lot o amser,
deud gwir,' medda fo gan edrych ar ei wats. Ddim yr un yr o'n
i wedi ei phrynu iddo fo'n anrheg Nadolig chwaith, sylwais.

'Dwi wedi dod yr holl ffordd yma i siarad efo chdi a ti'n
deud sgin ti ddim lot o amser a dy fod ti isio mynd am dro ar
dy feic?' hisiais yn gas arno fo.

'Dwi'n ganol trenio, dydw? Ma gen i ras fawr yn dod i
fyny.'

'Stwffia dy blydi ras! Ma hyn yn bwysicach.' Roedd y dyn
yn anhygoel!

Synhwyrais fod y ddau dderbynnydd tu ôl i'r ddesg yn syllu

arnom ni. Doedd derbynfa gwesty ddim y lle gorau i gael domestig.

'Tyrd, awn ni i rwla tawelach i siarad, wir,' medda fi.

'Sgin ti gar?' gofynnodd.

'Be?'

'Sgin ti gar?' gofynnodd wedyn.

'Wel, oes digwydd bod, tan pnawn 'ma.'

'Wn i be wnawn ni. Gei di fy nanfon i a'r beic i Cap de Formentor. Gawn ni sgwrs yn y caffi yn fanno. Fedra innau reidio'n ôl i Palma wedyn.'

Ar y pryd mi oedd o i weld yn gyfaddawd digon teg. Roedd Marc yn cael ei reid beic a finnau fy atebion.

Cael a chael ein bod ni wedi llwyddo i gael y beic i'r bŵt. Roedd rhaid tynnu'r olwyn ffrynt a rhoi sedd cefn y car i lawr, a hyd yn oed ar ôl gwneud hynny roedd hi'n straffîg i gael y bali beic i mewn.

I ffwrdd â ni wedyn ar hyd y ffordd ddeuol honno ro'n i wedi teithio arni'r diwrnod cynt i gyfeiriad Alcúdia. Be o'n i ddim yn ei wybod ar y pryd oedd ble'n union oedd Cap De Formentor, sef ei fod o awran dda o Palma.

Heb air o gelwyddau, y daith ar hyd y ffordd yno oedd y daith waethaf yn fy mywyd. Roedd bob dim yn grêt hyd nes i ni adael Puerto Pollensa a dechrau dringo a dringo elltydd serth cul i gyfeiriad pegwn mwyaf gogleddol yr ynys. Os ydach chi'n gyfarwydd â'r lôn i lawr i Nant Gwrtheyrn, wel, mi roedd y lôn yma saith gwaeth a mwy. Roedd hi'n llawer iawn mwy troellog na honno gan fynd i fyny ac i lawr mynyddoedd serth a dim ond môr dwfn ochr arall i'r dibyn. Roedd fy nghalon i yn fy nhin i wrth i mi yrru ar y fath lôn.

'Tyrd o ganol y lôn 'na, wir Dduw!… Ma 'na fŷs yn dŵad. Tyrd i'r ochr… Gwylia'r boi ar y beic 'na… Newidia gêr, wir

Dduw... Rho dy droed i lawr neu chyrhaeddwn ni byth!'

Dyna ges i ar hyd y daith. Marc yn gweiddi a harthio arna i. Ges i lond bol yn y diwedd. A ninnau ond wedi mynd rhyw hanner ffordd sylwais ar gilfan gyfleus rownd y gornel nesaf. Dyma fi heb ddim lol yn troi i mewn iddi a stopio'r car.

'Be uffar ti'n feddwl ti'n neud?' gofynnodd Marc yn hurt. 'Pam ti 'di stopio'n fyma?'

'Mi gei di a dy feic bedlo o fyma,' medda fi wrtho fo'n strêt. 'Ma'r lôn yma'n *lethal*. Taswn i'n gwybod ei bod hi mor uffernol o droellog, fyswn i byth bythoedd wedi cytuno i ddreifio yma.'

Ochneidiodd yntau. Agorodd ddrws y car a chamu allan.

'Lle ti'n mynd?' gwaeddais ar ei ôl.

Buan iawn ges i wybod wrth iddo fo agor bŵt y car ac estyn am ei feic.

'Be ti'n feddwl ti'n neud?' medda fi gan agor drws y car a mynd ar ei ôl allan i'r gwres.

'Be ti'n feddwl dwi'n neud? Reidio i Cap de Formentor gan dy fod ti wedi penderfynu peidio mynd mymryn pellach,' medda fo yn straffaglu i dynnu'r beic allan o'r bŵt ac wedyn dechrau gosod yr olwyn flaen yn ei lle.

'Fedra i ddim coelio hyn!' medda fi wrtho fo.

'Be?' gofynnodd heb godi ei ben o'r olwyn.

'Dy fod ti'n bwriadu neidio ar y blincin beic 'na rŵan a reidio i ffwrdd. Mi ydan ni angen siarad, Marc. Dwi angen atebion. Dwi'n haeddu hynny o leia.'

Ochneidiodd yntau gan roi ei feic i bwyso ar ochr y car.

'Be t'isio wybod, Nina?' medda fo fel tasa fo'n siarad efo hogan fach, ei freichiau wedi'u plethu o'i flaen. Roedd o wedi troi ei gefn ata i ac yn syllu ar yr olygfa. Doedd o ddim yn gallu edrych arna i hyd yn oed.

O dan amgylchiadau eraill, o bosib y byswn i wedi edmygu a gwerthfawrogi'r olygfa wych o'r arfordir creigiog, ond roedd gen i bethau amgenach ar fy meddwl. Mi gadwais i ddigon pell yn fy ôl hefyd. Dwi ddim yn rhy wych efo uchder a doedd yna ddim wal ar gyfyl y gilfan.

'Pam wnest di adael fel y gwnest di?' gofynnais. 'Jyst codi dy bac a mynd?'

'O'n i'n meddwl y bysa'n well felly,' medda fo'n ddi-hid.

'Gwell i bwy? I chdi, ella. Y cachwr. A pam deud yr holl gelwydda 'na? Dy fod ti'n prynu siârs yn Cambrian Coaches?'

'O'n i angen y pres, doeddwn? Fedrwn i ddim yn hawdd deud, "O gwranda, Nina, wnei di roi can mil a hanner i mi er mwyn talu fy nyledion gamblo, plis?"'

'Ond pam Mallorca o bob man?'

'Dechra newydd. Llechan lân a hynna i gyd. O'n i'n arfer dod i Mallorca pan o'n i'n hogyn bach. Dwi'n gallu siarad yr iaith, dwi'n hanner Sbaenwr ac mae gen i basbort Sbaen. Ges i waith syth bin yma fel dreifar býs.'

'Wnest di ddim gadael llythyr hyd yn oed. Dim blydi nodyn!'

'O'n i'n meddwl ei fod o'n well felly,' medda fo eto.

Mi roedd ei agwedd o'n anhygoel.

'Iwsio fi wnest di, 'de. Yn union fel y gwnest di drio iwsio Elen Protheroe ond bod honno wedi ffeindio allan ddigon buan sut un oeddet ti.'

'Sut wyt ti'n gwybod am Elen Protheroe?' gofynnodd yn syn gan droi o'r diwedd i fy wynebu.

'Es i i Lundain i chwilio amdanat ti. Am ryw reswm mi oeddet ti wedi cadw tag ci Elen yn dy focs tŵls a mi oedd cyfeiriad Elen ar y tag, doedd? O'n i'n meddwl mai yn fanno fysat ti. Wnest di werthu ei chi hi, Marc!

'So? Dim ond blydi ci oedd o,' medda fo'n siort.

'Pam wnest di gadw'r tag, 'ta?' gofynnais iddo.

'Wnes i ddim ei gadw fo. Ddim yn fwriadol. Wnes i jyst ei luchio fo i'r peth agosa oedd gen i wrth law. O'n i'n bwriadu cael gwared ohono fo wedyn ond anghofiais i bob dim amdano, do?'

'Ddeudest ti wrthi hi dy fod ti'n gweithio i MI6!'

'Tynnu ei choes hi o'n i, 'te.' Dechreuodd Marc chwerthin. 'O'n i ddim yn disgwyl i'r bitsh wirion fy nghoelio i, nag o'n? A wnes i jyst cario mlaen efo'r peth, jyst am laff. O'dd y berthynas ddim yn mynd i nunlla. O'n i ar fin gorffen efo hi eniwê.'

'Cyn iddi hi achub y blaen arnat ti a gorffen efo chdi. Mi ffeindiodd ei mam hi allan mai dreifar býs oeddet ti, do? A mi ffeindiodd ei brawd hi bod y cwmni oeddet ti wedi gofyn am fenthyciad i fuddsoddi ynddo ddim yn bodoli.'

Roedd hi'n amlwg o'r olwg oedd ar ei wyneb nad oedd o'n hapus o gwbl mod i'n gwybod hyn i gyd.

'Wn i ddim pam wnest di foddran fflio allan yma. Ti weld fel dy fod ti'n gwybod bob dim yn barod,' medda fo'n sych.

'Iwsio fi wnest di, 'te, i gael pres.' Brwydrais yn ofer i geisio atal y dagrau rhag cronni yn fy llygaid.

'Iwsio'n gilydd wnaethon ni, Nina bach. Mi oeddet tithau'n despret am ddyn, doeddet?' medda fynta'n ôl.

'Nag oeddwn i!' protestiais.

'Paid â'u malu nhw. Oedden ni ond newydd gyfarfod y pnawn hwnnw, prin yn nabod ein gilydd ac o'n i mewn yn dy nicer di.'

'Y bastad,' medda fi drwy fy nagrau.

'Y gwir yn brifo yndi, Nina? Wyddost ti mai ar fy ffordd yn ôl o'r *bookies* o'n i pan wnaethon ni'n dau gyfarfod y diwrnod glawog hwnnw yng Nghaerdydd? Ro'n i newydd golli cannoedd. Dim ond mynd am ddrinc o'n i wedi'i fwriadu neud, i godi 'nghalon i ar ôl i mi gael pnawn mor shit. O'n i ddim yn ffansïo treulio noson yn yr hotel yng nghwmni llwyth o geriatrics. Mi wnest ti'n berffaith amlwg dy fod ti'n rhoi'r cym on i mi ac yn boeth amdani.'

'Ddim fel'na oedd pethau,' medda fi a'r dagrau erbyn hyn yn powlio i lawr fy wyneb.

'Meddylia am y can mil a hanner a gweddill y pres gymerais i fel tasa fo *for services rendered,* yli,' medda fo wedyn gan wenu.

'Be ti'n feddwl *for services rendered?*' gofynnais yn hurt.

'Am i mi fod mor barod i dy ffwcio di. Doedd o ddim yn hawdd, dallta, mi oeddet ti'n troi arna i ar brydia.'

Fedrwn i ddim coelio ei fod o'n dweud yr holl bethau cas a chreulon yma wrtha i. Ro'n i wedi clywed digon. Mwy na digon.

'Ddylwn i fod wedi gwrando ar Anti Eirlys,' medda fi yn cychwyn am y car. Ro'n i'n beichio crio erbyn hyn. 'Mi oedd hi wedi dy amau di o'r cychwyn cynta, doedd? "Ma o'n cuddio rwbath, coelia di fi." Dyna ddeudodd hi amdanat ti ac mi oedd hi'n llygaid ei lle, doedd?'

'Yr hen ast fusneslyd honno? Blydi alci o'dd hi.'

'Paid ti â meiddio siarad fel'na am Anti Eirlys,' medda fi gan droi ar fy sawdl a chychwyn cerdded yn ôl i'w gyfeiriad.

'Mae'n wir, tydi?' medda fo wedyn gan gamu'n nes ata i. 'Blydi lysh oedd hi a ti'n gwybod hynny'n iawn hefyd. Mi oedd pawb yn gwbod.'

Mi roedd y gwir yn brifo. Ond beth bynnag am hynny doedd gan y celwyddgi a'r bastyn yma ddim hawl i redeg arni hi.

A dyma fo'n fy nharo i fel gordd. Dim baglu lawr grisiau'r gwesty yn Loch Lomond wnaeth Anti Eirlys.

'Y chdi! Y chdi wnaeth!' medda fi wrtho fo'n wyllt. 'Y chdi wthiodd hi lawr y grisiau 'na!'

Fedra i ddim esbonio i chi sut ro'n i'n teimlo ar y funud honno. Y sylweddoliad bod Marc wedi achosi marwolaeth yr un a fu fel Mam i fi am yr holl flynyddoedd.

'Hei, stedi on,' medda fo a'i wyneb fel taran. 'Ti yn sylweddoli be ti newydd fy ngyhuddo fi ohono fo, dwyt? Ma hynna'n ddeud mawr. Deud mawr iawn hefyd. Wedi meddwi oedd hi, 'de. Prin o'dd hi'n gallu rhoi un droed o flaen y llall.'

Ond o'n i'n gwybod yn iawn mai dweud celwydd oedd o.

Un waith a dim ond un waith yn unig dwi wedi colli 'nhymer yn llwyr. Ei cholli hi go iawn felly, a dyma pryd ddigwyddodd o.

'Y bastad!' medda fi gan roi coblyn o glustan iddo ar draws ei hen wep hunanfodlon.

Mi roedd Anti Eirlys wastad yn dweud bod gen i law front, tynnu ar ôl fy nhad, medda hi. Er mi wrthododd hi sawl gwaith ymhelaethu beth oedd hi'n ei feddwl efo hynny hefyd. Beth bynnag i chi, oherwydd yr hen esgidiau beic yna oedd ganddo ar ei draed fe daflodd y slap Marc oddi ar ei echel yn llwyr. Llithrodd gan faglu yn ei ôl a heb feddwl ddwywaith dyma fi'n rhoi hwyth hegar iddo fo. O'n i ddim wedi disgwyl iddo fynd dros yr ochr chwaith. Dwi'n dal i glywed y waedd wrth iddo ddiflannu dros y dibyn creigiog.

'Marc!' sgrechiais yn wyllt.

Camais yn ofalus at ochr y dibyn. Edrychais i lawr ar y creigiau at y môr gwyrddlas. Doedd dim i'w weld. Roedd hi'n berffaith amlwg na fysa fo wedi gallu goroesi codwm fel'na.

Be uffar o'n i wedi'i wneud?

TIT FOR TAT

EDRYCHAIS O FY nghwmpas mewn panig gwyllt. Oedd rhywun wedi fy ngweld i yn ei wthio fo? Doedd dim enaid byw i'w weld, diolch byth. Roedd hi fel y bedd yno. (Maddeuwch i mi, cymhariaeth anffodus o dan yr amgylchiadau efallai). Sylwais ar y beic oedd yn pwyso yn erbyn y car a heb feddwl ddwywaith codais hwnnw a'i daflu fo nerth fy mreichiau dros y clogwyn ar ôl ei berchennog. Fyddech chi'n synnu mor ysgafn ydi beics carbon. Neidiais yn fy ôl i mewn i'r car, tanio'r injan a throi yn ôl ar frys gwyllt i gyfeiriad Puerto Pollensa am Palma a fy nwy law'n crynu ar y llyw.

Nôl â fi i fyny ac i lawr yr elltydd troellog. Roedd fy nghalon i'n curo fel na fu erioed y ffasiwn beth a fy anadl yn trio ei orau i ddal i fyny. O'n i eisiau chwydu, cael a chael oedd i mi beidio â chwydu yn y fan a'r lle tra ro'n i'n gyrru.

Ar ôl cyrraedd cyrion Puerto Pollensa stopiais y car. Rhedais allan a thaflyd i fyny. Fues i'n eistedd yn y car wedyn am yn hir, yn torri fy nghalon yn meddwl am be o'n i wedi'i wneud. Ro'n i wedi panicio'n lân. Damwain oedd hi. Do'n i ddim wedi bwriadu ei wthio fo dros yr ochr. Be o'n i'n mynd i wneud? Yna mi glywais i lais Anti Eirlys mor glir â cloch yn fy mhen i. Yn wir, bron fysach chi'n dweud ei bod hi'n eistedd wrth fy ochr yn sedd y pasenjyr.

'O'dd y bastyn yn haeddu be ddigwyddodd iddo fo, cyw,' glywais hi'n ei ddweud. 'Paid ti â phoeni dim am y peth. *Tit for tat*, yli. Mi wnaeth y sglyfath fy ngwthio i lawr yr hen risiau 'na, do? Ac mi wyt ti rŵan wedi talu'r pwyth yn ôl drwy ei wthio fo dros y dibyn 'na. *Karma* ti'n galw peth fel'na. Rŵan sycha'r dagrau 'na, cyw bach. Dos yn dy ôl adra'r ffordd gynta ac anghofia be sy newydd ddigwydd yn fyma. Paid â chymryd arnat wrth neb. Fydd neb callach.'

A dyna wnes i. Es i ar fy union i faes awyr Palma. Gollwng y car ac yna es i'n syth i fwcio'r ffleit gyntaf y gallwn i yn ôl i Fanceinion. Yn ffodus mi roedd 'na sedd ar ffleit oedd yn hedfan am dri o'r gloch y pnawn hwnnw yn cyrraedd yn ôl ym Manceinion am chwarter i bump. Perffaith.

Dwi'n cofio dim hedfan yn ôl adref. O edrych yn ôl, dwi'n meddwl fy mod i mewn sioc. Ro'n i ar *auto pilot*. Wnes i ddim edrych i fyw llygaid neb ar yr awyren a smalio mod i'n cysgu drwy gydol y ffleit. Does gen i fawr o go' gyrru'n ôl i Sir Fôn chwaith. Ond dwi yn cofio penderfynu yn hytrach na mynd adref yn syth i dŷ gwag a dechrau hel meddyliau eto am be ddigwyddodd y pnawn hwnnw, y bysa'n well i mi gael cwmni, ac felly es i draw i dŷ Heulwen.

'*Long time no see!*' meddai honno'n groesawgar pan welodd hi fi'n sefyll ar ei stepen drws a photel o win yn fy llaw. (Roeddwn wedi stopio yn siop Spar ar fy ffordd draw yno.) 'Tyrd i mewn. Amseru perffaith, yn mynd i gael swper oedden ni, ti ddim wedi bwyta, naddo?'

Camais i mewn i'r tŷ gan dderbyn ei chynnig clên. Rhyw gaserol cyw iâr oedd o, dwi'n cofio'n iawn. O'n i'n cael uffar o drafferth llyncu'r blincin peth. Roedd y cig fel gwlân cotwm yn fy ngheg i gan fod fy mol i'n dal i gorddi. Ond rhywsut, drwy help y gwin, mi lwyddais i. Mi roedd cyd-fyw efo actores yn amlwg wedi dylanwadu ar fy nawn innau i actio hefyd gan i mi lwyddo i gynnal sgwrs fel tasa 'na ddim byd yn bod. Fues i'n dweud wrth Heulwen a'i gŵr be o'n i wedi bod yn ei wneud y diwrnod hwnnw. Pob manylyn bach. Ddim y gwir wrth gwrs. Ddeudais i fy mod i wedi bod wrthi fel lladd nadroedd drwy'r dydd yn clirio a glanhau'r tŷ o'r top i'r gwaelod ar gyfer cael ei werthu.

'Hen job ddiflas,' meddai Heulwen yn agor potel o win arall i ni. Ond 'na fo, ti wedi neud o rŵan. Mae rhywun yn teimlo cymaint gwell ar ôl cael clirans a chael gwared ar bethau, tydi?'

'Lot gwell,' medda finnau gan wenu a chymryd llwnc mawr o fy ngwin.

Cysgais yn nhŷ Heulwen y noson honno. Dyna oedd y peth callaf i mi ei wneud dan yr amgylchiadau. Ro'n i wedi yfed gormod i ddreifio ac yn bwysicach mi roedd o'n rhoi'r alibi perffaith i mi taswn i angen un byth. Dwi'n cofio gwaredu efo fi fy hun fy mod i hyd yn oed yn gorfod meddwl am y ffasiwn beth. Fy mod i o bawb angen alibi!

Er mwyn cael gwared ag unrhyw dystiolaeth i mi fod yn Mallorca, bore wedyn llosgais fy mhasbort a phob dim arall oedd yn awgrymu i mi fod yno, pethau fel derbyniadau am y gwesty, llogi car ac ati. Roedd y pasbort wedi cael ei stampio yn dangos fy mod i wedi cael mynediad ac wedi gadael yr ynys y diwrnod cynt. Misoedd wedyn mi wnes i gais am un newydd gan ddweud fy mod i wedi colli fy hen un.

Es i'n ôl i Lundain a chario mlaen efo 'mywyd fel tasa dim byd yn bod. Fel taswn i erioed wedi picied i Mallorca o gwbl. Weithiau, ar adegau prin, ro'n i'n gallu perswadio fy hun mai wedi breuddwydio'r holl beth o'n i. Perswadio fy hun nad o'n i wedi bod yn Mallorca a bod be ddigwyddodd ar y dibyn heb ddigwydd o gwbl.

Pan landiodd yr heddlu yn 9 Victoria Gardens y noson honno ro'n i'n meddwl yn siŵr fod fy myd ar ben. Ro'n i'n meddwl yn siŵr eu bod nhw'n gwybod beth oedd wedi digwydd ym Mallorca. Roedd rhywun wedi gweld beth ddigwyddodd. Roedd yr heddlu'n gwybod fy mod i wedi gwthio Marc. Roeddynt wedi dod draw i fy arestio i.

O'n i'n haeddu ennill Oscar am fy mherfformiad, wir i chi. Dwi'n siŵr y byswn i wedi gallu dysgu un neu ddau o bethau i Elen ei hun. Ffugiais sioc a syndod mawr fod Marc ym Mallorca a hyd yn oed gofyn ai yno ar ei wyliau oedd o. Pan ddeudodd un o'r plismyn mai gweithio fel dreifar bws oedd o, gofynnais yn ddiniwed i gyd os mai damwain bws gafodd o. Rhyddhad o'r mwyaf oedd clywed un o'r plismyn yn dweud mai damwain beic gafodd o. Ei fod o, yn anffodus, wedi colli rheolaeth ar ei feic. Fedra'i ddim dweud wrthach chi mor felys oedd clywed mai'r unig reswm yr oedden nhw wedi galw oedd i ddeud wrtha i gan mai y fi oedd ei berthynas agosaf. Fedra'i ddim dweud wrthach chi'r rhyddhad ro'n i'n ei deimlo o glywed hynny. Ddim wedi dod yno i fy arestio i oedden nhw ond wedi dod yno'n hytrach i gydymdeimlo efo fi. Dechreuais i grio wedyn, fedrwn i ddim stopio'r dagrau rhag llifo lawr fy moch. Dagrau o ryddhad. Roedd y cwbl ar ben. Doedd neb callach be ddigwyddodd i Marc go iawn.

Fydda i'n meddwl yn aml taswn i heb fynd ar y trip bws hwnnw i Gaerdydd y bysa fy mywyd i dipyn gwahanol i be ydi o rŵan. Fyswn i'n dal yn gymhorthydd dosbarth ac yn dal i fyw yn Llanbedrgoch a ddim yn byw a phaentio yn Llundain. Fel oedd Anti Eirlys yn arfer ei ddeud, 'mae 'na ryw dda yn dod o bob drwg, 'li, cyw.'

Dwi'n gobeithio'n fawr nad ydach chi'n meddwl dim llai ohona i ar ôl i chi glywed fy stori i a beth ddigwyddodd i Marc. Y gwir a'r holl wir felly. Fedra i ddim dweud wrthych chi teimlad mor braf ydi cael bwrw fy mol o'r diwedd. Cael cyfle i gyfaddef a rhannu fy stori. Ond dwi yn gobeithio y galla i ymddiried ynddoch chi i beidio â sôn gair am hyn wrth neb. Beth ddigwyddodd go iawn i Marc. Wnewch chi ddim, na wnewch?

Hefyd gan yr awdur:

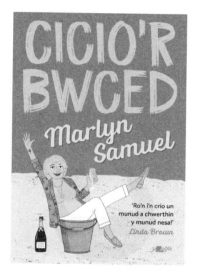

£8.99

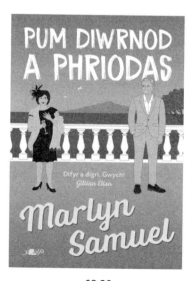

£8.99

Holwch am bris argraffu!
www.ylolfa.com